La collection « Quai nº 5 »
est dirigée par Tristan Malavoy-Racine.

Quand j'étais l'Amérique

Elsa Pépin

Quand j'étais l'Amérique

nouvelles

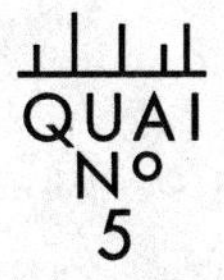

Catalogage avant publication de Bibliothèque et Archives nationales du Québec et Bibliothèque et Archives Canada
Pépin, Elsa, 1978-
Quand j'étais l'Amérique
(Quai n° 5)
ISBN 978-2-89261-826-6
I. Titre. II. Collection : Quai n° 5.
PS8631.E635Q36 2014 C843'.6 C2014-940160-4
PS9631.E635Q36 2014

Les Éditions XYZ bénéficient du soutien financier des institutions suivantes pour leurs activités d'édition :
- Conseil des arts du Canada ;
- Gouvernement du Canada par l'entremise du Fonds du livre du Canada (FLC) ;
- Société de développement des entreprises culturelles du Québec (SODEC) ;
- Gouvernement du Québec par l'entremise du programme de crédit d'impôt pour l'édition de livres.

Édition : Tristan Malavoy-Racine
Révision linguistique : Michel Rudel-Tessier
Correction d'épreuves : Élaine Parisien
Conception typographique et montage : Édiscript enr.
Conception et graphisme de la couverture : David Drummond [salamanderhill.com]
Photographie de l'auteure : Jorge Camarotti

ISBN version imprimée : 978-2-89261-826-6
ISBN version numérique (PDF) : 978-2-89261-827-3
ISBN version numérique (ePub) : 978-2-89261-828-0

Dépôt légal : 2e trimestre 2014
Bibliothèque et Archives nationales du Québec
Bibliothèque et Archives Canada

Diffusion/distribution au Canada :
Distribution HMH
1815, avenue De Lorimier
Montréal (Québec) H2K 3W6
www.distributionhmh.com

Diffusion/distribution en Europe :
Librairie du Québec/DNM
30, rue Gay-Lussac
75005 Paris, FRANCE
www.librairieduquebec.fr

Imprimé au Canada

www.quaino5.com

À Clara, et à la mémoire
de Philippe Edelmann.

Peindre d'abord une cage
avec une porte ouverte

JACQUES PRÉVERT,
*Pour faire le portrait
d'un oiseau*

La faim d'Alfred

Au retour de la *shop*, le père trouvait six bouches muettes. Le silence de la maison disait le vide des ventres et des têtes. Les mots ne se formaient plus, par manque de carburant, et encore moins les gestes d'amour. La mère redoublait d'ardeur dans son ouvrage, les plus vieux restaient suspendus au désert des jours sans fin, les petits arrêtaient leurs jeux et le chat se réfugiait sous la table. En attente d'être remplie par le père, la vie prenait un pas de recul.

L'estomac d'Alfred criait en même temps que le père ouvrait et refermait les armoires creuses. « Qu'est-ce qu'on mange ? » La mère jetait un œil inquiet à son mari et, par prudence, répondait qu'il y avait des pommes de terre et un restant de riz, peut-être un bout de pain, n'osant demander de l'argent. « Ça va pas suffire à nous sept ! »

La mère se taisait. Alfred rêvait de briser la lourdeur de son silence en faisant apparaître un poulet, une casserole de légumes, une tarte aux fraises ou un forêt-noire avec de la crème glacée. Il espérait que le ventre de sa mère se gonfle de ces nourritures imaginaires. Il regardait ses frères et sœurs en les priant de se contenter des mirages qu'il fabriquait pour eux.

— Tiens, va acheter des œufs chez Benoît.

La main du père sortait une pièce de sa poche de pantalon et la cédait à la mère. Alfred retenait un sourire à l'intérieur par fierté, pour que le père ne pense pas que son bonheur tenait dans l'objet, même si ce précieux trésor était pour lui une promesse que l'amour fleurirait peut-être encore dans la maison creuse. La mère sortait presque en courant, délivrée du joug de l'impuissance. Les enfants restaient avec le père fumant sa pipe dans le fauteuil du salon. Il observait sa progéniture comme un général scrute son bataillon. Impitoyable, il cherchait les bons éléments pour l'usine, inspectait les bras et les jambes des garçons à la recherche de muscles, sans aucune trace d'affection. L'aîné serait en âge de travailler l'an prochain et le père comptait bien le sortir de l'école. Les autres avaient encore quelques années devant eux mais ne perdaient rien pour attendre.

Les deux frères d'Alfred étaient robustes et ne s'intéressaient qu'au développement de leur anatomie et à la course automobile. Leur potentiel aux besognes physiques ne faisait aucun doute, mais il en était tout autrement pour Alfred. Toute sa sève irriguait sa tête et il ne restait rien pour le corps. Sa maigreur était peut-être la principale pierre d'achoppement au bonheur du père.

— T'as pas encore pris une livre, le petit ? Quand est-ce que je vas te voir être un homme ? Tu vas avoir bientôt dix ans pis on dirait une fillette endormie dans sa robe de poupée ! As-tu commencé ton entraînement avec tes frères ?

— Non, il veut rien savoir, dit l'un d'eux. Il écoute de la musique pis il lit les deux mêmes livres tous les soirs depuis des semaines.

— Je lis les deux mêmes livres parce qu'y en a pas d'autres.

— Y est pas là, le problème, Alfred. Je t'ai dit mille fois que les petits gars qui sont pas capables de travailler à l'usine sont bons à rien, pis moé, j'en veux pas dans ma maison ! C'est-tu clair ?

Alfred opinait timidement mais préparait sa fuite. Il prouverait à son père qu'il pouvait être bon à quelque chose, même s'il ne devenait jamais un employé de l'usine. Alfred deviendrait grand. Il connaissait un trésor si beau que son père serait obligé de l'aimer, même s'il restait maigre.

Il avait trouvé chez Isaac, le père de son ami qui vivait sur la même rue, une machine à produire des rêves capable de remplir tous les ventres vides de l'Univers.

■

Quand il présenta son premier film au collège, Alfred eut plein de nouveaux amis du jour au lendemain. Il était habitué à être seul, enfermé dans son deux et demie à écrire ses scénarios ou dans les salles de cinéma. Tout le monde voulait maintenant parler à celui qui avait écrit et réalisé *Les mille supplices de l'empereur*, un film d'horreur sur les tortures endurées par un patron tyrannique ayant été fait prisonnier par ses employés. Les effets spéciaux faits de manière artisanale intriguaient les étudiants qui voulaient connaître les secrets de production d'Alfred Lavigne.

Malgré sa reconnaissance envers ses nouveaux copains qui lui offraient de travailler pour ses films et de partager des bières, Alfred regrettait le temps où il n'avait de comptes à rendre à personne. Il aimait avoir le champ libre pour fabriquer ses rêves animés qui naissaient dans le silence et le noir. Les images surgissaient du vide après des heures d'attente, quand son corps ne recevait plus aucune stimulation extérieure et que sa tête vacante n'avait plus rien à quoi se raccrocher, sinon à la fenêtre de ses songes. Il finit par perdre de vue ses amis qu'il négligeait d'appeler, se retrouvant à l'université fin seul pour accomplir son grand œuvre.

Après deux ans de baccalauréat en cinéma, Alfred tourna son quatrième film avec, pour la première fois, une distribution de vrais comédiens et un budget décent. Lauréat d'une bourse d'excellence de la Faculté des arts de l'université, il reçut une somme qu'il n'avait jamais pensé posséder, toute investie dans son film, qui fit une telle impression au département d'études cinématographiques que le directeur le recommanda dans plusieurs concours et festivals.

Alfred remporta un prix à Cannes dans la section « Un Certain Regard » pour son film *Sugar*, racontant les tribulations d'une jeune orpheline d'Europe de l'Est survivant à la misère du communisme grâce au commerce de confiseries. Cette palme lui ouvrit les grandes portes du milieu et les portefeuilles des producteurs, le sésame pour faire du cinéma. Il entama alors une carrière professionnelle plus qu'enviable avant même d'avoir terminé ses études. Il se fit construire une maison dans le quartier huppé de la Haute-Ville, avec une vue sur le fleuve, une grande maison aux chambres et aux murs vierges, nus comme l'écran sur lequel il dessinait ses fables en deux dimensions.

Quand il visitait son père, Alfred avait l'impression de rentrer en prison. La maison n'avait pas bougé d'un poil depuis la mort de la mère. Depuis que ses fils avaient pris sa relève à l'usine, le père fumait la pipe toute la journée, assis dans son fauteuil posé comme un rocher entre les meubles. Son regard minéral s'était incrusté dans le décor endormi depuis soixante ans. Les frères et une des sœurs vivaient avec lui, réunis dans la maison toujours creuse malgré les armoires pleines de victuailles. La privation avait laissé son empreinte dans le sang et la rétine du père, la sève et l'horizon de la famille.

Alfred faisait fortune dans la réalisation de publicités et avait proposé au père de lui trouver une plus grande maison avec un jardin et des chambres séparées pour tout le monde. « Je toucherai pas à une cenne de ton argent gagné sur le dos des pauvres gens ! » L'homme venait d'un monde où la consommation n'existait pas au-delà de la première nécessité. À ses yeux, le monstre de la publicité dévorait les bonnes familles. Alfred expliquait au père qu'il gagnait aussi sa vie avec le cinéma et que ses publicités étaient des petits films artistiques, mais l'homme aimait la réalité, pas les vues, ce divertissement fabriqué pour les femmes et les hommes faibles. Alfred lui avait parlé des westerns, du cinéma italien néoréaliste, des films qui donnaient vie aux pauvres et aux classes dominées, mais le père ne voyait rien par delà l'enfant chétif qui avait fui le travail pour ses rêveries du dimanche. La maigreur avait pourtant disparu derrière l'enflure du ventre d'Alfred, mais le fils n'était jamais devenu l'homme désiré par l'imaginaire paternel. Prisonnier de ce corps trop petit où son père l'avait enfermé, Alfred étouffait dans la maison de ses mirages d'enfant. Il la quittait chaque fois avec le même vide au ventre qu'au temps de leur misère.

Après ses visites, Alfred appelait Victoire et Adrien. Ils allaient manger chez Dumas, le restaurant français le mieux coté en ville. Le maître d'hôtel le reconnaissait et lui trouvait toujours une table, même quand il n'y en avait pas. Alfred commandait du champagne et des huîtres, pour s'enfiler ensuite des ris de veau à la crème avec un châteauneuf-du-pape et une île flottante pour terminer en beauté. Lorsqu'il arrivait à son deuxième digestif, coulant son œil au fond d'un calvados de dix ans d'âge, Alfred ressentait au creux de sa panse prête à exploser un pincement aigre, quelque chose comme une bouche clouée qui retenait sa respiration jusque dans son estomac.

Il commandait un second dessert et un autre digestif. Il voulait éteindre la petite voix qui cherchait à crier et dévorait sa chair de l'intérieur. Il fallait la noyer pour de bon, faire taire ce besoin jamais assouvi de manger. Une main étrangère le bourrait malgré lui, telle l'oie gavée par l'éleveur qui la nourrit pour mieux la dévorer ensuite. Il finissait le repas en détachant son pantalon pour laisser déborder son ventre librement, comme l'eau d'un robinet oublié, et rentrait chez lui vomir son souper à trois cents dollars, retrouvant le même vide initial, cette faim sans fond qui jour après jour creusait son sillon.

■

Alfred rencontra Laure à une première de film courue par la crème du milieu du cinéma. Une connaissance la lui présenta et il craqua tout de suite pour son élégance, son accent aux tonalités d'actrices françaises, son port de tête altier et, surtout, l'aisance avec laquelle elle déambulait entre les stars. Il y avait dans son sourire l'embellie d'après la tempête, comme si la grâce avait attendu que tous les vents mauvais se fussent tus pour éclore sur ce visage d'ange. Alfred ne connaissait pas de femme aussi belle, même s'il vivait depuis dix ans dans la jet-set. Des tas de filles aux silhouettes de mannequins venues des grandes capitales du monde le courtisaient, mais son cœur restait sec, même quand il s'enivrait avec elles des plus chers élixirs. Le philtre de l'amour lui était interdit.

Laure avait l'air disponible sans être à la recherche. Accessible mais pas trop familière. Mystérieuse mais pas impénétrable. Son corps s'ouvrit comme une fleur dans les bras d'Alfred, ému de conquérir une si précieuse créature, cadeau selon lui immérité, mais il retint sa joie de peur qu'elle ne l'imagine trop facilement heureux, trop vite comblé.

Très vite, Alfred ne put se passer de Laure, comme il ne pouvait se passer de la haute cuisine. Il l'emmenait manger chaque semaine aux meilleures tables de la ville et pensait trouver là le remède à son intarissable faim, mais leurs repas s'allongeaient et l'appétit d'Alfred devenait de plus en plus vorace. Laure était douce avec lui, prête à le suivre et à le veiller, même quand ses excès le rendaient malade. Alfred ne savait plus comment lui prouver son attachement. Il lui offrait des bijoux et des voyages, mais Laure restait indifférente à ses dons. Elle ne s'intéressait qu'à ouvrir son cœur, cet organe qu'Alfred sentait rétrécir à mesure qu'il prenait du poids. Elle le taquinait sur sa timidité, cherchant à percer le mystère derrière Alfred Lavigne, l'homme du cinéma d'amour et des grands sentiments qui semblait tout ignorer de leur réalité.

Alfred lui parlait de ses nourritures imaginaires créées quand il était petit, ses premiers films d'enfant où il inventait un monde de substitution plus grand que le premier. Un pays de gâteaux qui comblaient tous les manques et tous les désirs. Laure l'écoutait, charmée par ses légendes, mais continuait à chercher l'ouverture de ce cœur verrouillé et s'inquiétait de ce qu'on pouvait désormais appeler son embonpoint. Dans le milieu aisé qu'Alfred fréquentait, les hommes prenaient souvent du ventre dès la mi-trentaine. Alfred passait donc assez inaperçu parmi la foule d'ogres bien nantis se goinfrant pour exprimer au monde leur liberté.

Un jour, Laure déclara son amour à Alfred. Elle voulait vivre avec lui, qu'il lui fasse un enfant. Alfred ne répondit rien. Laure était un trésor trop grand pour qu'il le ravisse sans se sentir imposteur. Il craignait qu'elle découvre derrière l'homme célèbre et fortuné le petit garçon venu du vide. Laure était destinée à épouser un prince, pas un parvenu. Tôt ou tard, elle retournerait vers les gens de son monde.

Le silence d'Alfred n'effraya pas Laure, patiente et capable d'écouter les yeux, mais le terrifia, lui. Il aurait voulu chanter pour elle, mais sa gorge était une terre aride où aucun « je t'aime » ne pouvait germer. Pour ne pas lui imposer son cœur en sourdine, Alfred quitta sa fleur rare en prétextant n'être pas prêt, pas assez amoureux. Laure ne lâcha pas. Elle croyait son amour assez fort pour ouvrir les portes closes d'Alfred, mais avec le temps, elle se rendit à l'évidence. La fermeture d'Alfred était insurmontable. À force d'être seul et sans retour, le geste amoureux s'en retourne d'où il vient.

Alfred faisait encore des films, mangeait toujours autant, mais avait abandonné l'idée d'aimer une femme. Les images et les mirages pouvaient surgir du vide, mais pas ce sentiment-là, fait d'une matière tendre et chaude comme la voix qui murmure dans le noir : « N'aie pas peur. »

La voix absente du monde d'Alfred.

L’enfant au bois mort

Il y a des lapins qui meurent avant qu’on les tue, de simple frayeur.
SAMUEL BECKETT, *Malone meurt*

Elle est réapparue un samedi après-midi pluvieux, devant le cinéma, après deux décennies d’absence. Le temps que prend l’arbre pour passer du bois d’aubier au bois de cœur, ou du bois vivant au bois mort. Elle portait de larges pantalons, une veste un peu démodée et se tenait recroquevillée sur elle-même à la manière des vieux, bien que son sourire se détachât de son visage comme celui d’une fillette, timide et indéterminé. En la serrant, j’ai senti son petit corps s’affaler dans mes bras comme si elle était faite de vent. Cherchant à reconnaître les grâces de la belle Betty, je ne retrouvai que ses yeux verts en étoiles, isolés et orphelins, me semblait-il, sur une terre étrangère.

Sa voix perçait difficilement le bruit des voitures et ses mots s’alignaient mécaniquement, sans élan naturel et sans poids. Elle étudiait en gestion, mais n'aimait pas ça. Après avoir abandonné un certificat en muséologie et s'être fait renvoyer d'un bureau de communications où elle travaillait comme secrétaire (elle m'assurait être d'une grave incompétence), Betty avait établi un plan de carrière sur les recommandations d'un orienteur professionnel.

Pendant qu'elle m'expliquait son choix rationnel, Betty marquait de courtes pauses à des moments incongrus de ses phrases et jetait des regards au loin, l'air absent, l'air de chercher ailleurs si elle s'y trouvait, l'air d'une planète hors de son axe. Ces écarts d'attention me surprenaient, jetant des silences inquiétants dans le flot de la conversation. Mais encore plus surprenante était la banalité de son discours, partagé par des tas de gens de ma génération cherchant encore, à l'âge adulte, où caser leur pion sur le grand échiquier où tout leur paraissait encore jouable, empêchés dans leur action par une liberté acquise dans le vide.

Le temps pouvait-il à ce point transformer quelqu'un ? Ce discours ne lui ressemblait pas, mais au fait, qu'est-ce qui ressemblait à Betty ? La gamine aux excentricités sans bornes et à l'imaginaire proliférant comme le lierre, théâtre de caprices et de tours de charmes, guerrière au sang-froid à qui personne n'avait jamais dit comment faire aurait-elle pu être, au fond, une femme ordinaire ?

La gêne inscrite dans sa posture voûtée avait pris le dessus sur le charisme naturel de la petite fille que j'avais connue, mais derrière la voix de mon amie perdue dans ce grand corps qu'elle habitait malgré elle, j'entendais que rien n'avait changé finalement, sinon la matière et le temps. Nos cellules bougent et, à près de quarante ans, le temps ne se présente plus à nous sous l'aspect d'une feuille sur laquelle dessiner chacune des variantes de nos rêves. Le temps s'avance vers nous comme une cime bientôt atteinte, ou pas, mais chose certaine, l'ascension de la montagne est bel et bien amorcée. Plus moyen de redescendre au pied de la pente.

Vers où marchait la jolie Betty de la rue Joyce ? Vivait-elle toujours dans un livre de contes ? Faisait-elle encore trembler les cuisines de ses expériences chimiques aux résultats improbables ? Menait-elle encore le monde par le bout du nez ?

Elle habitait temporairement chez son père après avoir perdu son emploi, mais paraissait ennuyée de parler d'elle et de ses mésaventures au travail, qui ne lui avait rien apporté de bon à ce jour. Elle me questionnait sur ma vie, mon métier de professeure de français, quand ses étoiles vertes glissèrent sur mon ventre rond et tombèrent à pic. « Tu attends un enfant ? » Le mot réveilla un film de souvenirs. Nos regards échangèrent une seconde de cette vieille complicité enfuie, retrouvée intacte après une absence prolongée. Est-ce que Betty l'avait vue passer comme moi ?

Je me suis alors demandé où s'en allaient les secrets des sœurs séparées une fois adultes et où s'archivaient ces passés qui n'existaient que pour deux. Je pensais parfois à Betty, mais la distance avait creusé son sillon, écrémant les souvenirs pour ne conserver au final qu'un répertoire restreint et peu représentatif de la réalité. De nouvelles images de notre passé renaissaient avec la perspective de la nouvelle vie couvée dans mon ventre, rapatriant près de nous l'âge de notre vie simultanée.

Nous étions inséparables et cherchions à créer une paire de jumelles identiques en s'habillant pareil et en empruntant les mêmes expressions. Pourtant, ce qui nous séparait était le motif principal de notre amour.

Dès le premier regard, j'avais craqué pour la jolie brunette vêtue d'une robe à rayures bleues et blanches avec une collerette de dentelle crème, de chaussettes tirées en dessous des genoux dans un parfait alignement, de sandales de cuir rouge et d'un chapeau de paille agrémenté d'un ruban de soie bleu ciel. Elle était agenouillée dans l'herbe, en train de déplacer de minuscules objets. Je portais des vêtements de sport et venais d'enfourcher mon BMX pour un grand circuit de trois tours de ruelle. J'avais fait signe à Charles et à mon frère de poursuivre la course sans moi. Ma vie de garçon manqué venait de prendre un tournant crucial. Je découvrais le ravissement d'être une fille. J'avais quatre ans et Betty entrait dans ma vie.

Elle m'avait accueillie comme l'heureuse élue d'une quête mystérieuse, m'expliquant le château pour les fourmis qu'elle avait entrepris de bâtir et qui nécessitait une aide pour la seconder. J'obéissais à ma reine, comblée de participer aux projets de Betty qui créait comme Dieu, dans l'absolue nécessité et sans la présence du doute. Chaque jour naissait un plan et aucun obstacle pour le ruiner. Les désirs et les intentions de Betty étaient sacrés.

Rapidement, nous n'avons plus pu vivre l'une sans l'autre et je passai la moitié de mon temps chez elle, m'inventant une seconde vie avec de nouveaux parents, de nouvelles règles, une nouvelle naissance. J'enviais la liberté de Betty qui menait sa maisonnée en dictatrice et ne connaissait rien de l'obéissance. Cadette de trois filles, elle commandait les troupes au doigt et à l'œil, asseyant son pouvoir sur une volonté de fer. Un pique-nique s'improvisait à sept heures du soir sans le consentement du père. Avant même qu'il n'ait pu songer à s'opposer au projet, Betty avait préparé son panier et filé au parc. Pris au dépourvu, chacun se soumettait au petit chef. Quand, par malheur, l'un d'eux osait se dresser contre elle, la gamine se changeait en lionne belliqueuse et prenait la mouche jusqu'à épuiser l'opposant. Elle était d'une persévérance inébranlable, un modèle d'efficacité lorsqu'elle montait au combat, ce qui lui avait valu le surnom de « Spartiate » par ce père mi-découragé, mi-admiratif devant l'increvable fermeté de sa fille.

L'humour demeurait toutefois l'arme fatale de Betty, capable de n'importe quelle bêtise pour s'attacher l'affection de quelqu'un. À sept ans, rue Bernard, elle avait fait la manche vêtue de sous-vêtements et de talons hauts pour prouver à sa mère qu'elle pouvait amasser assez d'argent pour s'acheter le chien dont personne ne voulait dans la famille, sauf elle. Irrésistible dans son impertinence, Betty avait non seulement empoché le magot nécessaire à l'acquisition du cabot, mais touché le cœur de ces dames et de ces hommes attablés sur une terrasse par ses danses et ses chants, découvrant une môme excentrique qu'ils prophétisaient voir monter sur les planches quelques années plus tard. Il n'en fut pourtant rien. Betty avait le don du théâtre de la vie, pas celui de la scène. La comédie et la tragédie faisaient partie de son quotidien et elle ne voyait pas en quoi elles gagneraient à être encadrées et codifiés par des conventions dramatiques. Betty établissait seule les règles du jeu.

J'adorais plus que tout goûter à la nourriture exotique de Betty, trésor incommensurable pour un enfant. Le père de Betty était Marocain et faisait des beignets au miel bons à mourir. Nous étions en mesure d'en engloutir autant que notre estomac pouvait en contenir, à n'importe quelle heure du jour ou de la nuit, parce qu'aucune attention ne nous était réellement portée. Des choses de nature apparemment beaucoup plus importante préoccupaient les parents de Betty, nous laissant très souvent le champ libre. Les armoires regorgeaient de produits dont Betty s'emparait pour faire ses concoctions magiques quand nous jouions aux sorcières. L'appartement se transformait en royaume enchanté, monopolisant casseroles, draps, oreillers, balais, plantes, garde-robe de la mère ou tout autre objet susceptible de contribuer au projet. La maison continuellement bordélique avait sur moi un effet libérateur. Je m'y perdais et reconstruisais ma vie au gré de mon ambition, mais je me souviens aussi d'avoir vécu des vertiges sur le champ de bataille de Betty.

Quand je passais la nuit et la journée entière dans le monde de mon amie, j'avais le sentiment de m'extraire de l'espace et du temps et d'entrer dans un monde confus et indéfini, pareil à l'antique chaos que me racontaient mes livres de mythologie illustrés, ce temps des Titans où tous les êtres vivants s'arrachaient le pouvoir dans la plus grande anarchie. Betty avait en elle la force des Titans. J'avais en revanche parfois besoin d'ordre et d'harmonie, même si ça venait avec des heures de coucher et des directives maternelles.

J'ai revu Betty quelques fois après nos retrouvailles non préméditées devant le cinéma. Nous passions un moment au café à nous remémorer des vieux souvenirs, mais le présent nous rattrapait et nous séparait malgré nous. Ce décalage s'était d'ailleurs manifesté dès l'adolescence, alors que je commençais avec tant d'autres à défier les règles et l'autorité pour faire éclater ma vie et la réinventer. Betty n'arrivait pas à entrer dans la danse. Faire en groupe ce qu'elle avait fait seule et librement toute sa vie contrevenait à son plaisir. La force vive et indomptable de son imagination ne trouvait aucun ancrage dans la délinquance adolescente. Je m'étais éloignée de mon amie vers quatorze ans, l'âge du décrochage de l'enfance où on dit adieu au temps de l'instinct, adieu à l'âge où les âmes fortes sont encore pures.

Je regardais Betty chercher ses mots et ses idées comme une amnésique revenant sur terre essaye de rattraper le temps perdu, mais l'absence de mon amie n'était pas qu'un simple trou de mémoire. Son corps était percé d'appels d'air. Les étoiles vertes de ses yeux pâlissaient, menaçant de s'éteindre. Entre quelques bribes de sa vie désaccordée, elle me confiait ses tentatives d'attentat contre elle-même, nombreuses, obsédantes, déterminées. Si la Spartiate avait autant de volonté dans ce combat que dans ceux que je lui avais connus, je n'avais pas de mal à croire que sa survie tenait du miracle, mais je savais, à voir son corps se mouvoir péniblement, inerte, lâche, avec une douzaine de kilos en trop accentuant sa langueur, que Betty avait perdu sa vivacité de vainqueur quelque part dans le jardin de son enfance. Sa paralysie disait le triomphe de la vie sur son désir de mort. Comment une enfant qui avait compris les lois de l'Univers et s'était approprié la puissance des dieux pouvait-elle être si démunie aujourd'hui ?

Un midi que nous mangions une pizza sur une terrasse, une fille s'était arrêtée à notre hauteur.

— Elizabeth ! Comme ça fait longtemps ! Alors, comment vas-tu ? As-tu réussi ta première année ?

Les deux filles se mirent à discuter d'HEC et d'autres choses incolores et inodores comme la gestion, mais je n'écoutais plus, parce que je venais de voir la vie de mon amie scindée en deux.

D'un côté, il y avait Betty, l'enfant libre aux pouvoirs infinis et animée de passions impulsives et malléables, pareille à l'aubier, cette partie tendre de l'arbre née de sa croissance récente et contenant les cellules vivantes, sensibles et se fissurant facilement. Ce bois jeune ne peut être utilisé comme bois de structure porteuse à cause de sa fragilité.

D'un autre côté, il y avait Elizabeth, cette femme au prénom de baptistaire que je ne l'avais jamais entendu prononcer, son identité officielle, son titre figé, prête à structurer sa vie de la même manière que le bois de cœur de l'arbre fabriquera les planches maîtresses d'une maison, parce qu'il est mort, inaltérable, définitif dans sa forme mature. Betty n'était jamais parvenue à devenir cette Elizabeth immuable et adulte, ce point fixe dans l'Univers. Je crois que l'achèvement lui faisait peur.

Mon amie n'était pas devenue une femme ordinaire. La matière fragile dont elle était faite la rendait peut-être inutile et oiseuse pour le monde des adultes et ses identités fixes, mais elle était en quelque sorte la seule personne que j'aie connue à qui on n'avait pas volé son enfance. Elle qui n'en était jamais sortie.

Il n'y eut jamais de *Jules et Jim*

C'est là sans appui que je me repose
SAINT-DENYS GARNEAU,
Regards et jeux dans l'espace

Deux hommes assis au comptoir formaient un couple d'une parfaite asymétrie. Le dos carré de l'un, calé en bloc contre son dossier, contrastait avec la fine et longue silhouette de l'autre habitant l'espace d'une grâce éthérée, flottant au-dessus de son siège, comme indécis quant à la pose à prendre. L'antagonisme des corps me fit imaginer une rivalité de la nature inscrite jusque dans leurs gènes, mais tels le lion et l'oiseau, ceux-là me paraissaient trop différents pour être ennemis.

J'en étais à observer le drôle de mariage de ces animaux dissemblables, écoutant d'une oreille mon amie Viviane, quand je reconnus Laurent. Une curieuse impression d'avoir pénétré son intimité m'envahit. Le rêve remonta à ma mémoire, déroulant des scènes d'une troublante clarté. Lui, soutenant mon regard.

Moi, abandonnée dans ses bras. Nos souffles proches. Étrangement familiers. La distance entre nous évanouie pendant une minute fantasmée, un aparté secret transgressant les frontières de notre relation platonique. Je l'avais connu le temps d'un songe. Comment pouvais-je maintenant retourner à la connaissance restreinte que j'avais de lui en réalité ? Peut-on apprendre à connaître quelqu'un dans nos rêves et l'oublier ensuite ?

Je m'efforçais de chasser ce souvenir imaginé pour retrouver la vraie nature de nos rapports. Les images s'effaçaient lentement, mais derrière l'air farouche de Laurent restait désormais accrochée la pointe du désir. Était-elle là avant ? Était-ce le fruit de mon imagination ? Il me salua avec un certain étonnement, probablement en réaction à mon faciès embarrassé, pendant que son ami m'étudiait. Je payai ma bière en faisant maladroitement tomber la monnaie sur le plancher tout en entamant une conversation dont le fil m'échappait. Laurent m'invita à prendre un verre avec eux. L'ami me supplia de ne pas le laisser seul en tête-à-tête avec cet emmerdeur. Je cherchais l'ironie sur son visage, mais deux paires d'yeux vissés sur moi embrouillaient ma pensée.

— Moi, c'est Philippe, lança l'ami de Laurent en me tendant une main de bûcheron.

Il avait des yeux envoûtés, habités par l'ailleurs. Un homme qui ne se capture pas, ai-je pensé. De ceux que j'aime traquer.

Laurent nous observait du coin de l'œil, intéressé par notre rencontre.

— Ben oui, reste boire un verre avec nous, me lança-t-il.

Je consultai Viviane qui m'incita à rester.

— Deux hommes pour toi toute seule, ça se refuse pas !

Laurent et Philippe se déplacèrent à une table et ce dernier me demanda ce que je voulais boire. Il commanda ma pinte de blanche pendant que nous entamions, Laurent et moi, une discussion sur l'humour douteux d'un certain satiriste venant de faire paraître un roman où il parodiait le milieu littéraire montréalais.

— Il fait de l'humour « Juste Pour Rire ». Il se moque des profiteurs en faisant son profit sur le dos de son milieu, parce que ses livres se vendent comme des petits pains chauds ! Il arrive un moment où il faut choisir son camp : on est pour la littérature, ou on est « Juste Pour Rire », mais on ne peut pas être pour les deux à la fois.

— Tu fais référence à ses blagues grivoises ?

— La grivoiserie est bien au-dessus de ses vulgaires attaques contre les intellectuels, des balourdises de béotien qui méprise tout ce qu'il ne comprend pas. C'est ça, l'humour « Juste Pour Rire ».

— Ouais, je vois ce que tu veux dire, mais quand il raconte l'épisode de l'éditeur à succès qui est prêt à publier le journal intime d'un pervers sexuel pour faire de l'argent, j'ai quand même bien ri.

— Oui, mais là, il se moque des dérives de la culture. Moi, ce qui m'embête, c'est qu'il prône d'un côté une hausse du niveau intellectuel et qu'il se moque d'un autre côté du snobisme des écrivains qui se parlent entre eux. Il se réclame du genre populaire et crache sur la démocratisation de la littérature. Il ne sait pas sur quel pied danser. Un branleux de plus dans la grande famille québécoise !

Philippe nous observait en silence. Une fois parti, Laurent était impossible à arrêter et je commençais à trouver impoli qu'on exclue son ami de la conversation.

— Et toi, tu l'as lu, ce livre ?

— Oh, non… Moi, je lis pas beaucoup. Pas beaucoup de romans, en tout cas.

— Tu lis quoi ?

— Des manuels de tondeuses, des choses comme ça…

Je ris au bonheur de Philippe qui arborait l'air ravi de celui qui vient de marquer un point.

— T'es un petit comique ?

— Ouais. Juste pour rire.

Je sentis monter la tension dans un échange de regards entre les deux amis.

— L'homme souffre si profondément qu'il a dû inventer le rire, lança Laurent. Nietzsche, ajouta-t-il.

Je le trouvai pas mal effronté, mais le commentaire ne semblait nullement toucher son ami qui descendait sa pinte de bière avec un calme stoïque. Laurent l'intellectuel avait pour ami un type visiblement pas trop intéressé par les choses livresques. Une sorte d'antithèse de lui-même qui le divertissait de ses prédispositions, ou le complétait, comme chez Laurel et Hardy. L'un éclairant l'autre.

— Tu fais quoi dans la vie, Philippe ?

— Je suis preneur de son. Je fais un peu de musique aussi.

— Philippe est un super musicien. On a travaillé ensemble sur mon dernier projet de moyen-métrage sur les chemins de fer. Il a enregistré des trains pendant plusieurs jours, et puis on a mixé ça avec des chants d'esclaves, des airs de gospel chantés dans les champs de coton au début du siècle. Le film porte sur le travail et la vitesse de notre société marchande. Nouvelle forme d'esclavage. J'ai filmé des gens dans un bureau pendant une semaine et je passe les images en accéléré avec le bruit des trains et le gospel…

Laurent faisait des films, des livres, des pièces de théâtre et des performances dans une forme expérimentale repoussant les frontières de l'art. C'était un artiste, mais surtout un intellectuel, un défricheur de contenus, un cerveau immense, une tête avec laquelle l'ennui ou le vide ne pouvaient survenir que sous la forme d'un débat passionnant. L'intelligence m'est toujours apparue comme l'arme la plus sexy des hommes. J'hésitais pourtant à franchir le seuil de l'amitié avec Laurent. La sensualité intellectuelle a cette fâcheuse habitude de s'écraser au lit, comme si la densité des mots annulait celle des corps. Sauf dans mes rêves.

— Et toi, jolie demoiselle, qu'est-ce que tu fais dans la vie ?

— Je finis une maîtrise en philosophie et je travaille comme photographe à la pige.

— Drôle de mélange ! T'as des plans pour ce soir, jeune philosophe-photographe ? Parce que nous, on va manger chez des amis et je te traîne avec nous si ça te tente !

L'œil droit de Philippe déviait de son axe et tombait dans le mien par une implacable attraction. Je reluquais ses bras gonflés par toutes ces heures à tenir le micro pour que les autres parlent. Le capteur de mots ne semblait pas très intéressé à ce que je faisais dans la vie, mais à ce que je faisais ce soir, ça, oui. Le genre d'homme du présent, me suis-je dit.

— J'ai pas de plan. Mais je veux pas m'imposer…

Laurent et Philippe me regardèrent soudain d'un seul et même regard distendu dans l'espace. Leurs visages tournés vers le mien formaient un tableau d'une troublante harmonie.

— Viens avec nous ! Y aura plein de monde, plein de bouffe, plein de vin !

■

Je marchai dans les rues de Montréal escortée par l'intarissable homme de tête et le bel homme de bras. Parfois, Philippe ralentissait le pas comme pour m'attirer vers lui. J'empruntais sa cadence, conduite par ses longs silences que je chargeais à ma guise d'intentions mystérieuses, puis Laurent nous interrompait pour nous entretenir d'une question philosophique à laquelle je m'attaquais avec bonheur, abandonnant Philippe à ses stratagèmes contemplatifs. Va-et-vient du cœur volage lancé à l'éternelle conquête du ciel.

Les amis de Laurent nous reçurent à la bonne franquette. Notre trio piqua la curiosité des invités. On me scrutait, à la recherche du signe qui confirmerait mon alliance à l'un ou l'autre de mes cavaliers. Je jouissais de ce statut latent, de n'appartenir à personne sinon à moi-même tout en ayant deux appuis à ma portée. Je passais de l'un à l'autre, goûtant au vertige d'être doublement désirée, comme multipliée par le désir d'autrui.

Deux fois conduite au bal d'une cour improvisée, je valsais en reine avec mes prétendants, de plus en plus échauffée par la mise en jeu de mon corps entre deux rivaux.

Après une longue conversation avec Laurent qui analysait la libido des créateurs, que je prenais pour une déclaration détournée de ses propres pulsions sexuelles, Philippe me coinça dans le fond du grand loft pour me faire une avance directe. Sa jambe droite se colla sur la mienne et son bras se posa au-dessus de mon épaule, sur le mur derrière moi. Son souffle m'hypnotisait. Mon ventre tremblait de faim. J'étais prise dans son filet, prête à être dévorée par l'homme de bras, mais je ne voyais que le regard de Laurent sur nous. Le troisième œil du désir m'empêchant de consentir à ce baiser et me retenant de quitter les latitudes du peut-être, j'évitai l'embuscade de Philippe, désappointé par ma valse-hésitation, et prétextai la soif pour rejoindre la tablée. Je voulais retrouver cet intervalle excitant du corps suspendu entre deux mondes. Deux fois amoureuse.

Philippe ne reprit toutefois pas sa place à mes côtés. Fumant à la fenêtre, il semblait se détacher de moi. Laurent en profita pour me prendre d'assaut avec ses délicieuses sérénades, m'ouvrant les portes d'une secrète et profonde alcôve. Je l'écoutai longtemps en rêvant que ses mots se changent en caresses. Je me surpris un moment à chercher chez lui l'étreinte des yeux prédateurs de Philippe, mais mon prétendant ne savait mordre qu'avec son verbe.

La femme a beau fondre à la faconde de Cyrano, la nature lui commande de tomber dans les bras de Christian. Je connaissais cette loi, mais têtue comme je suis, je voulais faire mentir la pulsion animale et succomber au panache du poète, assurée d'être faite pour la source profonde du désir et non pour sa surface. Je fis venir l'éloquent chez moi, laissant le prince charmant à ses silences.

Quand Laurent cessa de parler, après des heures de manège où les phrases couraient autour de mon cœur comme pour l'enlacer à triple tour, je retombai sur terre. Ses lèvres posées sur les miennes éteignirent la brûlure que ses mots allumaient. Ma sève se figea quand sa main glissa sur mes hanches. Les paupières closes, cherchant à faire remonter la fièvre que ses poèmes avaient fait naître, je dus m'incliner : ma peau restait imperméable à la sienne. Seul son verbe accrochait mon cœur, que j'avais tenu ce soir-là en équilibre au-dessus d'un futur à deux têtes.

Je méditai longtemps sur ce doublé amoureux, ce rêve intouchable. Les mois se succédèrent sans que je ne revoie Laurent ou Philippe. Avec le temps, le souvenir de cette soirée devint pesant, à la manière d'un vin de la veille qui creuse un vide au réveil.

Au lendemain des valses à trois, le désir converge à sa perte.

La sans-peur

S'il faut que les yeux crèvent pour tout voir
crevez les yeux

JACQUES PRÉVERT,
Lumières d'hommes

« Son élan est trop beau pour la retenir », m'étais-je dit. Je l'avais laissée filer pour ne pas entraver sa course et Léo s'était sauvée là où personne ne pouvait la suivre, vers ces eaux maléfiques autour desquelles elle avait joué toute sa vie, y trempant ses lèvres pour apaiser son indomptable soif, y coulant son âme comme une sans-peur.

Une tentatrice du danger. C'est ainsi que je me suis représenté Léo quand je l'ai rencontrée. Je connaissais beaucoup de filles de vingt ans en roue libre, arborant leur armure d'amazone, la tête dans les stups et le cul dévalant à tombeau ouvert dans tous les lits de la ville. Pratiquement toutes les jeunes femmes de mon entourage confondaient la libération de la condition féminine avec celle de leurs mœurs. S'ensuivait un concours d'intoxication puis de désintoxication et de galipettes plus ou moins dignes d'élever le deuxième sexe.

Nées de mères ayant défriché la forêt du machisme et de l'iniquité sexuelle, mes amies jouaient dangereusement avec une liberté acquise. Léo était différente. Sa liberté n'était pas une posture mais une fatalité. Elle présidait à chacun de ses actes, chacune de ses paroles, ce qui l'emmenait parfois loin sur des récifs peu fréquentés.

Léo était capable de faire dérailler votre pensée du chemin sur lequel elle avançait depuis des années en une seule affirmation. Elle pouvait vous envoyer à la figure que votre mère vous castrait et vous empêchait de choisir la vie que vous méritiez, ou de vous traiter de menteur devant un groupe d'amis sans aucun scrupule. Léo aimait suivre un inconnu chez lui par curiosité ou envoyer paître un agent de la paix sans craindre les représailles. Témérité ou inconscience, allez savoir, mais j'appris rapidement que Léo savait ce qu'elle faisait et ne laissait rien au hasard.

Le soir où j'ai connu Léo, elle a ri, en me disant que j'empruntais des idées à d'autres, faute d'en produire d'assez solides moi-même. Elle avait cette insolence qui aurait pu la faire haïr, mais le risque qu'elle encourait en lançant des vérités au visage des gens comme d'autres crachent leur amour à tout vent était totalement assumé et avait quelque chose d'héroïque. Je crois que Léo réservait ses commentaires critiques aux seules personnes qu'elle jugeait intéressantes. Preuve en est qu'elle me ramena chez elle ce même soir où elle m'avait accusé de plagiat intellectuel par faiblesse, et qu'elle fut la première à me déclarer son amour deux semaines après notre rencontre et deux mois avant la seule et unique fois où je lui offris un timide « Je t'aime ».

Quand Léo m'avait attaqué, parce que c'est bien de cela qu'il s'agissait, j'avais remarqué que son visage tacheté de rousselures et bordé d'une grande frange droite, couleur de feu, s'était en même temps ouvert. Comme si en osant l'assaut frontal, elle disait aussi à sa victime vouloir entrer profondément en elle. Elle s'était penchée vers moi, non pas en juge ou bourreau, mais plutôt en complice. Ses grands yeux noirs miroitaient d'une attente inquiète et exprimaient la vulnérabilité malgré la violence des mots. Je lui avais répondu que l'emprunt était courant chez ceux qui avaient de la culture, car plus le savoir s'accumulait, plus on prenait conscience de notre ignorance et, surtout, de tous ceux qui avaient pensé avant nous. Elle m'avait fixé avec le sourire satisfait de celle qui reconnaît chez son interlocuteur un joueur potentiellement calibré, mais aussi sceptique, devinant que ma réponse était un couvert. La vérité me serait renvoyée le jour où je me rendrais à l'évidence des limites de ma résistance face aux duels de Léo, me trouvant incapable d'exprimer une idée qui la blesserait, paralysé par cette peur qu'elle ne connaissait pas et qui la rendait si attachante et si terriblement dangereuse.

Mon grand-oncle, baroudeur de grands chemins qui avait vu passer bien des hommes et des malheurs dans sa vie, me racontait quand j'étais petit que les gens les plus peureux étaient ceux qui n'avaient rien perdu. Ceux-là redoutaient sans le savoir que se brise leur équilibre précaire. Parce qu'on finit tous par perdre un jour quelque chose de précieux, que ce soit la virginité, la confiance d'un ami, un être cher ou la foi en l'amour pérenne.

Parmi les grands perdants, il y avait ceux qui se terraient dans l'immobilisme pour ne pas revivre le traumatisme, et les autres, ceux de sang-froid, qui connaissaient l'impermanence du bonheur et puisaient l'or de la vie sans se protéger des fuites et du tarissement de la source. Ils devenaient des proies invisibles de la peur réservée à ceux qui n'avaient vu que la face vierge de l'existence. La théorie de mon grand-oncle me terrorisait, car je craignais autant de perdre ma mère ou mon père que de devenir cet homme préservé trop longtemps du deuil, ce pauvre couard éternellement confiné à son monde utopique. Par la suite, l'interprétation de mon grand-oncle m'était sortie de la mémoire, mais quand j'avais rencontré Léo, je m'étais rappelé son analyse et demandé ce que cette aventurière pouvait bien avoir perdu pour flirter avec le danger avec une telle assurance.

Léo n'était pas comme les autres filles de vingt ans mais goûtait amoureusement aux paradis interdits. Elle réussissait même à redonner à ceux que l'on qualifie d'artificiels une émouvante apparence naturelle.

J'avais été invité au chalet de sa tante, où nous avions passé deux jours en amoureux. Elle avait insisté pour m'entraîner avec elle sur son manège. Une petite pilule qu'elle avait glissée sous ma langue au coucher du soleil. Les flammes de ses cheveux s'étaient mêlées à celles des érables brûlés pour me perdre dans son paysage, me laissant démuni, béat d'admiration devant la belle aux bois allumés accueillant l'Univers dans son corps-bestiaire, l'œil en sentinelle éclairant les changements de lumière dans la brunante.

Tournoyant dans sa robe noire face au feu de fagots, les pieds nus dans l'herbe mouillée, elle m'avait fait voir la largeur de son âme, ouverte aux morts et aux fantômes. Son corps cambré vers le ciel, elle s'était agenouillée devant la vie qu'elle semblait prête à abandonner pour se laisser traverser de toutes les présences terrestres et célestes, offerte aux bêtes de la nuit qui trouvaient refuge dans sa chair blanche.

Des visages étrangers, tantôt sublimes, tantôt monstrueux, passaient sur le sien, la vieillissant puis la ramenant à l'enfance. Elle était tous les âges, possédée par d'autres, à la fois grandie et dessaisie par ces présences en elle. J'aurais voulu la protéger, mais son invitation me disait de regarder, d'être le témoin muet de son voyage, comme si ma présence silencieuse ajoutait à son excitation. Elle se désincarnait pour épouser l'animal et la forêt, et j'étais son dernier contact avec l'humain, son point d'ancrage sur terre.

Après ses danses envoûtées, son corps s'était immobilisé face au mien, placé comme un point d'arrivée au bout de sa course. Intimidé et frappé par le spectacle de l'Univers contenu en son sein, je m'étais laissé caresser de sa langue de feu, puis capturer par son œil grand ouvert sur moi, ce précipice de soif annonçant notre chute. Je m'étais perdu longtemps dans sa pupille dilatée, vacante, attendant de s'emplir.

Elle m'avait attrapé et plaqué contre la terre froide. Le sol me paraissait glacé, les arbres s'élevaient funestement en croix de cimetière et pourtant, la fée faisait valser de joie sa toison d'or au-dessus de mes hanches. Ses crocs harnachèrent mes lèvres, mon ventre s'incendia et je sentis mon sexe durcir dans sa main. Léo me fixait maintenant sans sourire, de ce long regard inquisiteur et tendre à la fois, éloignant ses yeux de jais pour mesurer la distance à conquérir.

Quelque chose me disait de ne pas aller trop vite, de ne rien précipiter, d'attendre que se vide le coffre plein de la géante qui venait de s'unir aux éléments avant de le remplir à nouveau, mais Léo basculait déjà dans le vide, tombant sur moi comme un météore, m'ouvrant ses reins sans retenue. Il n'y avait pas de frein au corps de Léo, rien pour endiguer son élan. Le manège tournait et elle s'était retournée dos contre sol, cherchant mon poids sur elle et celui de la gravité, prête à se rompre, attendant la délivrance pendant que je résistais, craignant en lâchant les arçons d'ensemencer sa terre. Mais Léo cavala jusqu'à moi. Son rapt fut trop rapide pour que je lui échappe. Elle me retint en elle sous le soleil brunissant au fond des sapinages, puis leva sa tête bouillante vers les cieux, triomphante. Elle m'avait emmené avec elle au pays des sans-peur.

Léo avait peut-être voulu tuer en moi ce garçon trop attaché à ses avoirs qui préfère la sécurité à l'aventure. Pensait-elle que je la suivrais, que je cesserais d'emprunter des idées aux autres pour m'appuyer sur moi-même et oser la défier ?

Après notre communion dans la nature, j'avais vécu un mois d'angoisse à attendre qu'elle saigne, persuadé que de notre union scellée aux essences hallucinogènes naîtrait un démon. Léo me vantait les dons de Lucifer, se moquant de ma couardise. Plus elle me provoquait et m'invitait à me battre, plus je doutais de pouvoir l'aimer. Je sentais que mon cœur cordé pouvait lui servir de garde-fou, mais pourrait aussi un jour l'étouffer.

Un jour, Léo saigna. Le soulagement me fit respirer pour la première fois depuis des jours et je décidai qu'elle volerait mieux sans moi. J'avais besoin du souffle long et de la quiétude des existences sans tumulte.

■

Je ne reconnaissais personne parmi la trentaine de parents et amis réunis à son enterrement, sauf deux ou trois têtes que j'avais croisées avec elle dans des bars ou dans la rue. J'étais resté anonyme dans la vie de Léo, comme la plupart des gens ici qui se parlaient à peine et ne semblaient pas se connaître. Elle nous abandonnait seuls au bout de sa route, sans liaison entre nous, se détachant de la terre qu'elle avait habitée sans racines, en oiseau libre migrant naturellement vers un autre pays, sans n'avoir jamais vécu dans les cages construites par ses semblables.

Je reconnus sa mère debout devant le cercueil, sèche et crispée, qui avait légué à sa fille sa rousse chevelure et la dureté du regard, mais sans le mouvement généreux propre aux yeux de Léo. Ses traits criaient sauve qui peut. Son sourire forcé disait ne jamais avoir rencontré l'amour. Un désert sec et stérile d'où avait jailli l'oasis, le fauve assoiffé, le cheval fou lâché sans bride, qui avait déchaîné l'Univers pour s'arracher à sa naissance.

J'avais serré la main de cette femme au cœur de pierre avec l'intention d'échanger avec elle quelques mots de plus que les condoléances d'usage, mais son regard vide m'avait glacé. Je m'étais sauvé, persuadé que Léo m'aurait reproché de m'écraser devant sa génitrice, mais rattrapé par ma nature de fuyard.

Plus loin, je croisai une petite dame d'un grand âge qui me demanda qui j'étais. Elle sembla me reconnaître en entendant mon nom, me tira à l'écart et se présenta comme une vieille amie de Léonora. Je sursautai à l'évocation de ce prénom qui, raccourci en Léo, me rappelait sa vie rétrécie à moins d'un quart de siècle. Cette dame prénommée Ingrid se mit d'ailleurs à me parler des jeunes années de son amie qui avait choisi de partir tôt. La vieille femme n'était pas inhibée. Je retrouvai chez elle un peu du panache de ma guerrière envolée.

— J'ai quatre-vingt-treize ans. Léonora est morte à vingt-quatre ans, et je me demande qui de nous deux a le plus vécu. Tu sais, il y a des gens qui vivent tout intensément. Leur courte existence condense l'expérience que nous distillons sur des années. T'es-tu déjà demandé pourquoi certaines personnes font l'amour très jeune, alors que d'autres attendent longtemps avant de perdre leur virginité ?

— Euh… pas vraiment.

— Il y a des gens qui se précipitent dans la vie comme des papillons fous. Ils se marient et ont des enfants avant d'être adultes. Ils sont nés impatients, comme s'ils avaient le pressentiment que le temps serait compté pour eux, alors que d'autres prolongent chaque instant, persuadés que le secret de la vie réside dans la lenteur. Je suis de ceux-là, mais je ne sais toujours pas si j'aurai vécu plus longtemps, au bout du compte, qu'une impatiente comme Léonora.

— Mais comment une fille qui n'avait peur de rien comme Léo a pu vouloir mourir ?

— Tu te trompes, mon enfant.

— …

— Tu crois que Léonora n'avait peur de rien parce qu'elle courait au-devant du danger, mais t'es-tu déjà demandé pourquoi elle cherchait la gueule du loup comme une défoncée ?

— Je me le demande encore.

— Tu m'as l'air d'un gars sage. Tu dois, comme beaucoup d'autres, te faire une fausse idée des casse-cous qu'on croit sans peur parce qu'on associe le courage à des gestes extrêmes, hasardeux ou imprudents. Mais la peur vient du désir de vivre. Sans elle, l'homme est perdu. Ceux qui choisissent de partir n'ont plus peur.

Elle avait détaché ces derniers mots lentement, comme pour les faire résonner en moi.

— Alors vous croyez que Léo n'avait plus peur de rien ? Que c'est pour ça qu'elle a voulu mourir ?

— Je pense que Léonora avait peur de bien des choses pendant ses vingt-quatre années de vie, mais qu'elle le dissimulait derrière son cran de délinquante. Après, je ne peux pas te dire. Ces choses-là restent impénétrables, mais en s'échappant, l'homme échappe à la peur, parce que c'est elle qui nous fait tourner, et quand elle s'essouffle, notre cœur s'essouffle aussi.

Qu'est-ce qui pouvait bien effrayer Léo ? J'avais beau chercher, rien ne me venait. Puis un souvenir se fraya un chemin dans ma tête. Léo immobilisée à cause d'une jambe cassée. Je l'avais vue, blanche et sourde, comme ressuscitée d'un long voyage, et déposée sur son visage, impossible à cacher : la peur. C'est là que j'avais compris. C'était lui, le vide des longues journées moissonnées dans l'immobilité avec à son bras la menace de l'ennui, ce précipice nous ramenant invariablement à nous-mêmes, qui lui amenait la peur. Pas si différente de la mienne, finalement.

■

Je meurs aujourd'hui avec Léo. Elle a tué celui qui aurait tant voulu lui dire ces choses douces du cœur et qui s'est tu, de peur qu'elle ne se sauve. Toutes ces fois où je n'avais pas répliqué, alors qu'elle n'attendait que ça, j'avais gardé pour moi des réactions comme autant de preuves que je l'aimais. Je l'avais fuie, elle, de peur qu'elle me renvoie à moi-même.

Son propre reflet l'avait peut-être aussi effrayée, un jour, au point de vouloir s'unir à l'Univers pour se dépouiller du poids de son âme. Son âme qui avait trop perdu en naissant dans les bras d'une mère sans amour.

Léo s'est tuée. Personne ne connaîtra jamais le secret de son départ, mais je sais qu'elle a eu peur de moi. Peur de ces gens qui préfèrent fuir plutôt que de risquer l'amour. Et puis peut-être qu'elle n'avait plus eu peur de rien, ni de personne, se rendant devant la lâcheté des vivants après un long siège mené ici-bas contre le vide des gens prudents. Ces gens qui ne gagnent rien à ne rien vouloir perdre.

Millésime 1973

« Avant l'incendie, y avait une belle grande église icitte, juste devant le dépanneur. Mais le dépanneur, y était pas là avant. C'est juste en 1962 qu'Émilien Lépine a ouvert. Avant ça, y avait un champ, drette là, devant l'église. Après la messe, les enfants allaient se garrocher dedans et se rouler dans l'herbe comme des diables lâchés dans la nature, pendant que leurs mères allaient à la confesse. Pis quand venait leur tour, les mères les tiraient de force pour leur ôter le foin qu'y avaient de coincé partout, pour que monsieur le curé les voye pas d'même ! Le curé les voyait jamais emmanchés d'même, mais le bon Dieu, lui, les voyait ! »

Le maire bedonnant, à bout de souffle, jette un œil méfiant à Hugues, comme pour lui faire peur. Hugues n'arrive pas à juger si l'homme est sincère ou s'il se moque de lui. Son air malicieux ne laisse rien deviner de net. Malgré sa placidité d'ours endormi dans sa graisse, il paraît méditer, occupé par un dessein secret. Teste-t-il sa croyance ou a-t-il su dès le premier regard qu'il avait affaire à un parfait laïc ? Ne sachant si l'homme de ce village perdu aux confins d'un autre temps éprouve sa foi ou son humour, Hugues s'en tient à une question neutre :

— Pourquoi vous n'avez pas reconstruit une nouvelle église après l'incendie ?

— On a ben essayé, mais elle aurait été pas mal moins belle que la première. Quand j'étais jeune, l'argent allait toutte dans les églises mais, astheure, les gens aiment ben mieux se payer des psychologues, des voyages, pis d'autres affaires de même. Si on ramassait toutte l'argent que les gens dépensent pour des psys pis des bébelles qui s'achètent pour se désennuyer les dimanches pas d'messes, on aurait pu s'en construire, une belle église, plus grande et plus imposante que la chapelle qu'y avait avant, mais y a pas grand monde icitte qui a l'goût de mettre la piasse pour ça, faque le seul projet qui a passé, c't'une bâtisse qui a d'l'air d'un centre communautaire avec un revêtement en stucco. Elle était assez laitte pour que personne soit ben pressé de la voir arriver au milieu du village, c't'église-là ! Faqu'en attendant, Sainte-Philomène a pas d'église. L'accident a p'tête ben fait l'affaire des jeunes familles qui ont pas gros d'argent pis qui vont pu à l'église de toute façon. C'est ben triste, ce qui se passe avec nos villages, astheure…

L'homme lance maintenant un coup d'œil inquisiteur vers la jeune femme à quelques mètres d'eux, comme à la recherche d'une réponse à la question.

— Vous autres, vous venez de la ville, je suppose ?

— Moi, je viens de Montréal, mais Adèle est née en France, dans un village pas mal plus grand qu'ici.

Le maire fixe la femme accroupie dans les fleurs sur le bord du chemin. Curieux, un brin méfiant, mais moins intimidé que si elle avait été Chinoise ou Irlandaise, parce qu'elle parle la même langue que lui, après tout, il observe sa mince silhouette, ses bras musclés et ses gestes minutieux. Il se dit qu'elle ferait certainement un bon brin de femme sur une ferme. Le vieil homme n'a jamais eu le tour avec les étrangères, c'est-à-dire toutes les femmes de l'extérieur de Sainte-Philomène, mais une jolie Française qui aime la nature, les fleurs en tout cas, il croit qu'il pourrait l'apprivoiser.

— Y paraît qu'y a pas mal de Français qui vivent à Montréal, astheure, depuis l'Expo 67 ?

— Ouais, depuis cinq ans, y a pas mal plus d'étrangers à Montréal, mais y a pas juste les Français qui sont arrivés au Québec avec l'Expo, y a le goût des gens de voyager…

Hugues n'a pas le temps de finir qu'Adèle se pointe devant le maire, frôlant sa panse de son ventre à elle, lui tendant une fleur violette. Le maire a chaud et son cœur débat. Il n'a pas vu venir la cueilleuse, comme si elle s'était transportée du bosquet de fleurs jusqu'à lui sans se déplacer, par un don d'ubiquité. La surprise est aussitôt supplantée par la vue de ses yeux du même vert foncé que les rives obscures de la Yamaska, coulés dans les siens comme deux ancres prêtes à mordre le fond de son âme. L'homme n'a plus l'habitude des jeunes et nouveaux visages et encore moins des regards soutenus de la part d'une femme. Il croit défaillir, se sent moite et sa tête dodeline au-dessus de son abdomen qui semble peser une tonne et l'entraîner vers cette créature venue du ciel.

— Vous savez quel est le nom de cette fleur, monsieur ? Je ne la connais pas.

Le septuagénaire essaie de se ressaisir, envoûté par ces deux insectes assoiffés de miel qui le fixent. Le corsage rouge laisse entrevoir la poitrine de la jeune femme par les brèches du bouquet de fleurs. Le maire parvient à peine à balbutier quelques mots d'une voix étouffée.

— Je sais pas. Faudrait demander à Lionel. C'est lui le spécialiste des fleurs.

— Lionel ?

— Lionel Audet. C'est un cultivateur de légumes et de fleurs qui habite au bout du chemin des Diligences, en haut de la côte.

Le maire pointe son doigt vers la colline qui s'élève non loin du village, puis retire sa main brusquement, se demandant soudain ce que la nouvelle arrivante pourrait bien faire à Lionel, si elle lui rendait visite. Il préférerait qu'elle ne s'aventure pas chez lui…

— Le chemin des Diligences ! Comme c'est joli, on se croirait en Nouvelle-France ! Et il vend ses fleurs, Lionel Audet ?

— Oui, il les vend avec ses légumes au marché, pis y a aussi un kiosque à Montréal, l'été.

— Et dites-moi, monsieur… Votre nom, c'est quoi déjà ?

— Georges-Étienne Paré.

— Dites-moi, monsieur Paré, est-ce qu'il y a des gens qui cultivent des vignes dans la région ?

— Pas que je sache.

L'homme est contrarié, pense Hugues, gêné par les questions d'Adèle dont il connaît la curiosité vorace. Il observe le malaise s'installer sur le visage bouffi du ventripotent et craint qu'il ne s'effondre d'un coup de chaleur. Le soleil de juillet, au zénith, plombe sur leurs têtes et dissipe de plus en plus l'attention du vieux maire en sueur.

— Moi, j'ai l'intention de cultiver des vignes. Je veux le plus beau vignoble de la province et je ferai le meilleur vin du Québec ! Je vais redonner du travail à vos jeunes en plus, parce que ça prend du monde pour les récoltes.

Le maire sursaute à l'annonce du projet de l'ambitieuse demoiselle. Tout semble possible dans les yeux de ce bout de femme tombée comme un ange sur le village moribond, mais il s'inquiète déjà de ce que pourrait penser le bon Dieu. Il a remarqué que le couple ne porte pas d'alliance et que la jeune femme n'hésite pas à dévoiler ses chairs. En même temps, l'oisiveté est le pire ennemi de l'homme et un jeune qui travaille à faire du vin vaut mieux qu'un chômeur qui se soûle la gueule, se dit le magistrat, qui se tricote volontiers un proverbe quand le jugement moral ne lui vient pas d'emblée.

Le vieux ne chasse pourtant pas tout à fait le doute sur les possibles retombées de l'arrivée d'Adèle dans le village. Cette femme est trop belle et trop sûre d'elle pour ne pas provoquer la débâcle, pense-t-il, lui-même noyé dans les yeux vert pétrole de ce nouveau continent qui se tient fièrement devant lui. Tandis que la tête des fleurs qu'elle tient à sa main caresse son ventre, il sent remonter en lui cet appel du fond des reins endormi depuis des siècles. Il se sent plein d'espoir et délesté de son poids. La toute-puissance de son corps de jeune homme lui est rendue le temps d'une respiration. Il veut croire que cette fille existe, même si elle s'écarte de ce qu'une femme devrait être selon les enseignements qu'il a reçus. Il veut cette femme dans son village. Sa raison perd son emprise sur lui et il en oublie ses proverbes.

— Si vous pouvez faire travailler nos jeunes, on demande pas mieux icitte ! P'tête même que vous allez pouvoir nous aider à reconstruire l'église, si vos affaires marchent pis que vous ramenez la richesse au village !

Adèle sourit. Elle imagine la tête que son père ferait, du fin fond de sa Bourgogne natale, s'il apprenait que sa fille va rebâtir une église grâce à ses vignobles. Il serait fier. Il vanterait la puissance du vin sur l'homme et se gargariserait de sa victoire avec un bon Côte de Nuits !

— Je vais avoir besoin de mains pour les vendanges, mais faut que je commence par planter.

— Ça ferait du bien aux jeunes de se bouger un peu pis de retourner à la terre. L'agriculture est pus ben ben à la mode. Les grosses fermes tuent les petites pis la plupart des familles déménagent en ville.

— Quel dommage ! C'est si beau, la campagne québécoise !

Hugues commence à trouver qu'Adèle a assez sollicité le vieil homme.

— Nous allons vous laisser tranquille, monsieur le maire. Je vous remercie pour l'accueil. On va aller s'installer.

— Ben oui, vous d'vez être à boutte de fatigue après le voyage !

Hugues lui serre la main et Adèle l'embrasse, à la française. Le maire hume son parfum sucré puis se laisse une dernière fois capturer par son œil fauve. Le couple quitte l'homme resté immobile, le cœur battant, cherchant dans le fouillis du soleil cuisant une réponse à cette femme. Le salut de Sainte-Philomène peut-il venir par cette mystérieuse étrangère ? Seraitelle, à sa façon, une sainte venue sauver son village ? Au milieu de ses songes liturgiques se profile pourtant une ombre mauvaise, logée dans son bas-ventre, là où le démon a semé sa graine. Un mélange d'excitation, de terreur et de confusion.

Hugues et Adèle rentrent dans leur nouvelle demeure, une vieille maison canadienne bâtie à la fin du siècle précédent et qui avait appartenu au curé. L'homme avait disparu en même temps que l'église avait brûlé. Il était soi-disant absent la fin de semaine de l'incendie mais, étrangement, on ne le revit plus jamais au village. On raconta qu'il avait trouvé un emploi ailleurs. On trouva la chose bizarre puis on l'oublia.

L'intérieur de cette maison, en bois de grange, donne l'impression d'entrer dans le tronc d'un arbre. Adèle ne perd pas une minute. Elle jette Hugues sur le divan du salon sans même ôter ses bottes ni sa robe et fait descendre sa culotte le long de sa jambe.

— On va l'inaugurer tout de suite !

Hugues s'engage sans préambule, chevauchant Adèle qui souffle bruyamment. Leurs deux respirations s'unissent maintenant au même rythme, puis se changent en râles. De la porte restée ouverte, Adèle sent le vent chaud lui caresser les jambes et le ventre. Elle s'agrippe de plus en plus fort à Hugues et court avec lui d'un même train pendant de longues minutes, puis relâche les rênes dans un cri perçant, assez fort pour réveiller tous les morts du village. Elle rit ensuite aux éclats, la tête levée vers le ciel avec une arrogance amusée. Hugues ne comprend pas. Il l'a pourtant attendue, mais Adèle l'invite à porter son regard sur la porte d'entrée, où une croix de bois est accrochée. Hugues sourit, habitué qu'il est aux crucifix encore nombreux à décorer les maisons de campagne. Mais l'hilarité de sa dulcinée découvrant l'empreinte profonde de la religion au Québec lui déplaît. L'athée convaincu se sent curieusement trahi.

Sur la galerie de la maison d'en face, un homme se lève et court se cacher chez lui. La voisine essaie de faire rentrer ses trois enfants, mais la curiosité les aiguillonne. Des sons bizarres se font entendre chez les nouveaux arrivants.

■

Le soleil verse lentement de l'autre côté des champs jaunis par la sécheresse de juillet quand Hugues et Adèle sortent arpenter leur futur vignoble. Pendant ce temps, au village indolent qui remue sa même vieille misère, une porte ouverte a laissé entrer le vent du large.

Le couple venu de la ville attise déjà les ragots, on cherche à savoir d'où vient cette fille qui crie l'après-midi et veut transformer l'ancien champ de blé d'Inde de monsieur le curé en vignoble. Les sceptiques prédisent la banqueroute. Personne n'a jamais fait pousser de raisin dans la région. Ça pousse dans le Sud, ces fruits-là !

Pourtant, les jours passent et font croître les plants des nouveaux venus, tout comme la rumeur entourant l'indécence de la belle Française, alimentée par un épisode qui saisit l'imaginaire des villageois. Jérémie, le plus jeune des fils à Richard, l'a vue se baigner nue dans la rivière. Il pêchait la truite sur les rochers quand il est tombé sur un tas de vêtements à motifs fleuris d'où pendait la bretelle d'un soutien-gorge noir. Son premier réflexe avait été de fuir, mais il était resté hypnotisé par ce corps capturé par les eaux que son imagination multipliait en formes diverses. Des femmes de revues aux représentations de la Sainte Vierge, son esprit passait par tous ces corps de femmes rencontrés sur sa jeune route. Après quelques minutes, il vit saillir deux poissons miraculés de la surface de l'eau. Les seins de la nymphe apparurent une seconde pour aussitôt replonger dans l'obscurité d'où ils venaient de naître. Les yeux de Jérémie restèrent rivés sur la rivière jusqu'à ce qu'en ressurgisse la divine créature, qui ouvrit ses yeux sur le visage rose de l'enfant béni. Adèle lui sourit et l'invita à la rejoindre. Le garçon de treize ans rêva une seconde de couler son corps contre le torse doux de la baigneuse, de pénétrer un instant le même espace liquide qu'elle et de se perdre dans son ballet aquatique, mais son désir resta muselé en lui et l'idée fut chassée de son esprit comme par un conditionnement centenaire. Sans un mot, l'adolescent rebroussa chemin et courut en fou à travers la forêt, fuyant, le cœur coupable, emportant avec lui le spectacle indécent de sa première femme nue.

Jérémie alla raconter sa vision à son ami Benoît. La sœur de ce dernier, qui écoutait aux portes, entendit l'histoire et s'empressa de la rapporter à sa mère comme s'il s'agissait d'un trésor. Les pécheurs étaient des proies rêvées pour les vautours du village, prompts à trouver des coupables à tous les maux du monde. Indignée, la femme alla répéter à l'épicerie, au garage, à la pharmacie et au bar du village que la Française invitait les jeunes garçons à se baigner nus avec elle dans la rivière. L'étrangère devenait une prédatrice, une exhibitionniste, une sorcière. La porte ouverte se referma.

■

Depuis l'événement, les femmes demandent à leurs maris de surveiller l'aguicheuse pour protéger leurs enfants, tâche à laquelle ceux-ci s'adonnent sans se faire prier. Les rapports avec Adèle valent leur pesant d'or. La Française est autrement plus amène que la gente féminine locale, saluant son monde et faisant la bise à qui veut la prendre. Rares sont ceux qui résistent à ses accolades quand ils se trouvent seuls en sa présence. Sa morsure a le goût du plaisir interdit, celui qu'ils se sont fait voler toute leur enfance pour le redonner en péché au curé.

Le maire, lui, regrette sa naïveté. Celle qu'il a prise pour une sainte, qui changerait le vin en une maison de Dieu, s'est convertie en démone, transformant les derniers croyants en pécheurs. Il ne peut trouver à quoi ses irrésistibles yeux verts lui font penser, pourquoi leur brûlure lui manque-t-elle dès qu'il s'en éloigne et comment la sorcière a bien pu ressusciter son appétit charnel, mort voilà des lustres. Depuis son apparition, il fait chaque nuit des voyages qui l'enivrent, le vident de sa semence comme de ses convictions profondes. Croyant, au réveil, que la mort viendra le prendre pour de bon tant son cœur bat fort dans sa poitrine, il sent que la foi l'abandonne.

Au printemps, n'ayant trouvé aucune main-d'œuvre à Sainte-Philomène, Adèle doit faire venir un garçon de la municipalité voisine pour l'aider à planter ses vignes. Le village entier est tourné contre elle. Tout l'été, les habitants épient la croissance des plants, prédisant du raisin empoisonné.

Souvent, le couple fait jaillir sa musique animale par les fenêtres de l'ancienne maison du curé et on l'entend jusqu'à la place du village. Des adolescents rôdent autour de la maison. On les soupçonne de fomenter des mauvais coups, mais on n'intervient pas. On rirait que ça leur arrive enfin, une bonne leçon, à ces dévergondés ! À la vérité, les curieux qui les espionnent aiment voir ce qu'une femme et un homme libres peuvent se donner.

Au moment des vendanges, personne ne vient aider la cultivatrice, mais un homme passe ses journées à flâner autour des plantations. Adèle s'inquiète qu'on lui vole son raisin, mais ne réussit pas à identifier ce visiteur à la taille imposante, qui reste dans l'ombre et disparaît dans le paysage dès qu'elle s'en approche. Quand le raisin arrive enfin à maturité, en septembre, Adèle lance une invitation au village pour recruter de la main-d'œuvre en échange d'un salaire digne d'attirer une légion de jeunes chômeurs, mais cette fois encore, personne ne se présente. On préfère la pauvreté à l'atteinte à la réputation.

La première récolte n'est pas aussi abondante que l'avait espéré Adèle, mais suivant les méthodes de fermentation du paternel, elle réussit à produire un vin plus qu'honorable. Il semble que les cépages de Maréchal Foch et de Frontenac produisent dans ces cantons d'Amérique un divin mariage, dont le rubis luit d'un éclat surnaturel. Hugues lui trouve un goût exquis. Le couple s'enivre du vin nouveau et poursuit ses ébats jusque dans les champs roussis d'octobre.

Le premier samedi de novembre, Adèle organise une dégustation de son vin au marché. Les villageois cherchent à éviter la baigneuse, parce que tel est le mot d'ordre à Sainte-Philomène, mais plus d'un se laisse tenter par un verre, découvrant les délices insoupçonnées de la liqueur. Ils reviennent, regoûtent, et ne peuvent résister à l'envie de prolonger leur plaisir. La douceur des invitations d'Adèle aidant, ils finissent par céder à la tentation, tout en jouant de prudence : ils prennent rendez-vous avec la vigneronne pour acheter une bouteille directement chez elle, à l'abri des regards.

Un marché confidentiel du vin de la sorcière s'organise rapidement et la moitié des réserves s'épuise en moins d'un mois. Des jeunes subtilisent le nectar à leurs parents et créent des rituels autour du précieux élixir. Tel le népenthès que Pâris offrit à Hélène pour lui faire oublier son pays natal, le vin d'Adèle éloigne les enfants de Sainte-Philomène de la morale de culs-bénits imposée par leurs parents. Ces derniers finissent par s'écarter aussi de leurs mœurs austères, grisés par les nouvelles sensations que procure la sève pourpre. Plus ils boivent, plus les villageois glissent vers le gouffre de désir que des années de pénitence ont creusé.

L'œuvre d'Adèle délie les corps. Le sang circule à nouveau et afflue dans le cœur et l'âme des endormis. Léon retrouve Manon, sa serveuse préférée, en fin de soirée, sur le bord de la rivière, et conçoit avec elle un petit bâtard. Les maisons s'illuminent d'une joyeuse anarchie. Chez le Dr Dansereau, le vin, acheté à la caisse, passe si vite qu'on doit se réapprovisionner chaque semaine. On se purge au rouge, comme si deux cents ans de gras de Dieu s'était collé à la peau et avait cloîtré la soif sous une chape étanche.

Grisé par sa cueilleuse au don d'ubiquité, le maire observe son village sans église et se questionne sur l'avenir de Sainte-Philomène. L'incendie présageait-il la venue de cette païenne ? Sans domicile fixe, Dieu aurait-il emprunté le corps de la tentatrice pour les mettre à l'épreuve ? L'homme sait qu'il doit ramener la population vers le droit chemin, mais ne résiste pas à la liesse générale. Seul dans son grand logement, il s'enfile des bouteilles, se réveillant parfois en pleine nuit sur le divan du salon, les culottes baissées, une main sur son sexe et l'autre tenant un verre vide, incapable de se relever, prêt à rendre l'âme pour rejoindre la maîtresse de ses songes. Il en a perdu la maîtrise de son âme et de son corps. Il en est sûr maintenant : le vert de ses yeux est celui du diable. Mais jamais il n'a connu de plus heureux soulagement qu'auprès d'eux.

Un des premiers soirs d'hiver où le froid oblige Adèle et Hugues à fermer les fenêtres, le couple se blottit au coin du feu et déguste une des dernières bouteilles de ce premier cru de Sainte-Philomène, se promettant d'augmenter la production l'an prochain.

— Je crois qu'ils commencent à nous aimer.

— C'est grâce à ton vin, Adèle. Le millésime 1973 restera gravé dans la mémoire de ce village comme un baptême de délivrance.

— Tu crois ?

— J'en suis sûr ! Et peut-être même que, l'an prochain, on réussira à convaincre les jeunes de nous aider pour les vendanges.

Adèle relève la tête, qu'elle avait penchée sur l'épaule d'Hugues. Elle a cru voir passer une ombre dehors.

— Tu n'as pas vu quelqu'un devant la fenêtre ?

— Non. Tu veux que j'aille vérifier ?

— Non, non. Je ne vois pas qui aurait l'idée de se promener par un tel froid.

Adèle repose sa tête sur Hugues et, tranquillement, le couple s'endort pendant que le vent glacial siffle dans les tentures de la maison.

La chaleur monte de plusieurs degrés en quelques minutes. Les pièces du premier étage sont rapidement envahies par un épais nuage de fumée, puis les flammes lèchent chacun des murs pour s'élever jusqu'au deuxième étage. Les deux corps pelotonnés n'ont pas bougé, plongés dans un lourd sommeil. La fulgurance du feu a engourdi leurs membres et asphyxié leurs poumons avant qu'ils ne s'éveillent. La vie a repris sa forme éthérée, dévorée par le bûcher qui réduit les corps et la vieille maison du curé en une seule et même poussière.

Les pompiers sont alertés vers 1 h du matin par le voisin, réveillé par la vive lumière à sa fenêtre. L'incendie est maîtrisé en deux heures, au terme desquelles on en retire deux dépouilles calcinées. En début de soirée, sous les yeux de dizaines de curieux frissonnant, un château de glace remplace l'ancienne maison du curé.

De la même façon que, trois ans plus tôt, la destruction complète de l'église avait rendu l'enquête policière difficile, celle de l'incendie de l'ancienne maison du curé prend près d'un mois avant de révéler la possibilité d'une origine criminelle. Les sinistres ont plusieurs points en commun, d'ailleurs. Les deux bâtiments ont brûlé avec une rapidité spectaculaire et le feu s'est déclenché durant la nuit. Aucun bris du chauffage électrique n'a été observé, pas plus qu'aucune autre cause externe. Dans le cas de l'église, l'enquête avait conclu à une cause inconnue. Cette fois, les villageois exigent que le mystère de l'incendie soit résolu.

Les soupçons se portent sur deux jeunes délinquants du village, déjà accusés pour des délits mineurs de vol à l'étalage et de vandalisme, mais les adolescents n'ont ni le profil de pyromanes ni motifs de vengeance contre le couple de viticulteurs. Leurs parents témoignent qu'ils ont tous deux passé cette nuit du 5 décembre au logis familial. L'enquêteur Serge Meunier a noté dans son rapport que «les deux jeunes ont eu l'air déstabilisés par l'interrogatoire et affichaient une peur d'adolescents innocents qui ne laisse pas présumer qu'ils aient pu déclencher l'incendie».

Le cultivateur et fleuriste Lionel Audet, qui ne s'est jamais vraiment intégré à la communauté de Sainte-Philomène depuis son arrivée en 1969, devient le suspect numéro un, d'autant qu'il avait convoité la terre de l'ancien curé pour ses plantations avant de se rabattre sur celle, plus modeste, juchée en haut de la colline, sur le chemin des Diligences. Au village, on le trouve excentrique parce qu'il se promène en Westfalia, porte la barbe et les cheveux longs, vit seul et reçoit de curieuses visites de jeunes gens venant parfois s'installer plusieurs semaines chez lui.

L'homme de trente-deux ans, originaire de Sorel, fait partie des quelques groupes de hippies installés dans la région. Vêtu de jeans pattes d'éléphant brodés de fleurs de lys, Lionel Audet a eu tôt fait de piquer la curiosité de l'enquêteur Serge Meunier, qui n'apprécie pas son attitude décontractée durant l'interrogatoire. Le fait que l'homme n'ait jamais fréquenté l'église, à l'instar de tous ces nouveaux bohèmes aux mœurs dissolues, pourrait le compromettre quant à l'incendie de l'église, et par le fait même, à celui de l'ancienne maison du curé, mais le fleuriste vante la qualité du vin du couple et paraît profondément peiné de sa disparition. Meunier doit admettre que l'homme a l'air sincère. Son procès-verbal conclut à une non-culpabilité, mais la famille d'Adèle, débarquée de France pour rapatrier le corps de la défunte et tenter d'élucider la mort tragique du couple, lui intente un procès.

Lionel Audet est jugé non coupable par absence de preuves matérielles des incendies de l'église Notre-Dame de Sainte-Philomène et de la maison d'Hugues Jolicœur et Adèle Bois.

Quelques jours après la fin du procès, Lionel Audet déménage dans une commune en Gaspésie. L'arrivée du couple de viticulteurs avait fait germer en lui une graine d'espoir quant à une possible ouverture de la mentalité de ce coin de pays encore attaché à d'anciennes valeurs, mais leur mort a éteint le peu de confiance qu'il lui restait. Le fleuriste se promet de ne plus jamais y remettre les pieds.

Sainte-Philomène retrouve quant à elle un semblant de routine, même si les ruines de l'ancienne maison du curé réveillent chaque fois le souvenir de celle qui détenait le secret d'un philtre magique, comme on regrette l'ivresse d'une fête évanouie.

Au printemps 1974, au moment où les glaces fondent sur les routes et les sentiers mais que le sol des terres demeure encore couvert de neige, que le dos de la rivière se fend progressivement pour laisser s'écouler les premières effusions d'eau, le maire de Sainte-Philomène disparaît mystérieusement. Un lundi matin, personne ne le voit à l'hôtel de ville, on ne le trouve pas non plus chez lui. On contacte le seul membre de sa famille encore vivant, une sœur habitant Montréal, mais cette dernière ne l'a pas vu depuis Noël. Les recherches s'intensifient et on finit par alerter la SQ.

Le soleil du 29 mars fait grimper la température, ce qui a pour effet d'emporter les dernières croûtes de glaces de la Yamaska. Vers 14 h, les policiers descendent sur les berges de la rivière et entament des recherches en bateau.

Le corps de Georges-Étienne Paré est retrouvé au coucher du soleil, flottant sur un coude de la rivière. L'autopsie confirme que l'homme n'a pas passé plus de quarante-huit heures dans l'eau et ne révèle aucune trace de violence. L'hypothèse du meurtre est rapidement écartée, d'autant que de nombreux témoignages et plusieurs indices attestent la profonde détresse psychologique du maire. Sa maison est dans un état lamentable. Le ménage n'a pas dû être fait depuis des semaines. En plus des déchets, le délabrement de chacune des pièces et l'insalubrité de la salle de bain et de la cuisine accréditent la thèse de la dépression. Le nombre effarant de bouteilles d'alcool vides, surtout du vin produit par le couple défunt, révèle aussi un alcoolisme avancé. Ses collègues confirment que le maire avait perdu beaucoup de sa vitalité dans les dernières semaines. Il s'absentait souvent du bureau, marchait et respirait avec difficulté et avait souvent l'air confus. On le soupçonnait de boire en cachette, mais on le croyait aussi malade. L'enquête révèle une vie à l'abandon, une santé qui de fait se détériorait et un isolement datant d'au moins un an.

Georges-Étienne Paré, maire pendant vingt-deux ans de Sainte-Philomène, se serait jeté dans la rivière Yamaska à l'âge de soixante-treize ans. Sa mort marquera la fin d'une série de bouleversements pour le village : l'incendie de l'église, la venue d'une étrangère et la découverte d'un élixir qui aura chamboulé la petite communauté, puis sa mort subite, emportée avec son mari par un second incendie de cause inconnue, et enfin le suicide du maire.

On s'étonnera longtemps de cette suite d'événements inhabituels, mais jamais personne ne posera la question : jusqu'où peut dériver l'esprit d'un homme devenu fou aux pieds du bon Dieu et d'un diable incarné en femme ?

Nécrogénéalogie

Antoine voit bien que l'attention de Bénédicte a changé. Habituellement, elle promène un œil absent au-dessus du journal, furetant ici et là plutôt que lisant véritablement les articles. Bénédicte a toujours l'air pénétrée par une seconde vie souterraine plus prenante que la réalité. Antoine aime imaginer tous ces mondes contenus en elle. Mais là, le regard de Bénédicte s'est posé sur la page nécrologique et ne bouge plus. L'extérieur vient de l'envahir.

— Tu as un ami qui est mort ?

Bénédicte ne répond pas. Bouche et yeux verrouillés. Antoine se lève pour lire par-dessus son épaule.

Rose Garneau est décédée dans la nuit du 2 mai à l'âge de quatre-vingt-six ans. Elle laisse dans le deuil ses enfants: Bruno (Louise), Danièle (Yves) et Marie, ainsi que ses petits-enfants: Catherine, Élie, Zachary, Delphine et Bénédicte. Les funérailles auront lieu le samedi 9 mai à 12 h, à l'église de Saint-Joseph-de-Deschambault, située au 115, rue de l'Église, à Deschambault. La famille reçoit parents et amis le vendredi, de 19 h à 22 h, et le samedi, jour des funérailles, à compter de 9h, à la résidence funéraire Claude Charest, située au 92, rue des écoliers, à Portneuf.

— C'est ta grand-mère ?

— Oui.

— Tu veux y aller ?

— Qu'est-ce que tu veux que j'aille faire là ? Je vois pus personne de cette famille de débiles depuis bientôt dix ans.

— Mais c'est ta grand-mère, quand-même. Tu l'aimais bien, non ?

— J'aimais bien ma grand-mère parce que je la connaissais pas vraiment. On la voyait une fois par année, à Noël. Ma mère était ben trop souvent en chicane avec elle pour qu'on puisse avoir une vraie relation de petits-enfants à grands-parents. De toute façon, ma mère sabotait tous les rapports qu'on pouvait avoir avec sa famille.

— Comment ça ?

— Elle disait à ma grand-mère qu'on était des monstres, pis elle nous disait à nous qu'elle était une manipulatrice perverse qui les avait abandonnés. Elle faisait la même chose avec mon oncle Bruno pis ma tante Danièle. Moi, j'aimais ça aller chez Danièle, parce que je m'entendais bien avec Delphine, ma cousine qui a presque mon âge, mais ma mère disait que sa sœur avait marié un dangereux parvenu et qu'il fallait pas qu'on fréquente ses enfants. Ils auraient une mauvaise influence sur nous. Je pense qu'elle avait ben plus peur que je l'aime trop, cette famille-là, parce qu'ils étaient plus tripants qu'elle pis que son catalogue d'amants paumés. Ma mère a bousillé tous nos rapports familiaux pour être sûre de pas couler toute seule.

— En tout cas, ç'a dû te marquer beaucoup parce que c'est rare que tu sois si bavarde sur ta famille! Mais tu penses pas, justement, que si ta mère a tout fait pour détruire cette relation-là, tu devrais y aller, à l'enterrement? Juste pour lui prouver qu'elle a pas tué votre famille.

— Mais j'ai rien à voir avec ma grand-mère. Je lui ai parlé dix fois dans ma vie pour lui dire ce que je faisais à l'école ou pour commenter la température.

— Mais c'est quand même ta grand-mère.

— Je comprends pas ce que tu veux dire quand tu dis ça: «C'est quand même ta grand-mère.» Pis, ça? Ça veut dire quoi, si j'ai rien partagé avec elle? C'est comme mon père qui est parti avant que je naisse et que je connais pas. J'ai aucun lien avec lui. *Niet. Nada.* C'est un étranger. Ça veut rien dire, la famille, quand elle se tient pas ensemble.

Antoine se rassoit, résigné, en face de Bénédicte. Il manque d'arguments pour lui expliquer la famille. Ses parents sont encore ensemble après trente-deux ans de mariage. Chaque anniversaire, chaque fête est célébré avec les grands-parents, les oncles, les tantes, les cousins, les cousines.

— Tu sais, les enterrements peuvent permettre de renouer avec des gens, et même faire naître des complicités inespérées.

Bénédicte s'est enfermée dans sa tête. Elle ne l'entend plus.

Toute la journée, elle ressasse des souvenirs de Rose sans trouver d'image forte pour se la représenter. Sa mémoire a fait table rase de la lignée des Garneau au grand complet, emportant avec la mère toute la généalogie.

Bénédicte sort ses vieux albums de photos jaunies. Chaque Noël, une Rose illuminée apparaît dans l'éclat d'un flash, entre les guirlandes et les emballages-cadeaux. Bénédicte cherche quelque chose de vrai, de vivant, derrière le sourire composé de la grand-mère, mais l'image dort, impersonnelle, étrangère. Une vieille dame qu'elle n'a jamais visitée. L'idée devient obsédante, comme celle de ressusciter un disparu d'après-guerre pour échapper à la dématérialisation de la mémoire.

Le lendemain, Bénédicte se lève plus tôt qu'à l'habitude. Elle regarde Antoine avec un air sérieux qu'il ne lui connaît pas.

— Je vais y aller.

Antoine tend l'oreille comme pour vérifier que la voix est bien celle de sa blonde. Il n'ose pas poser de questions, de peur d'ébranler sa décision.

— Tu veux m'accompagner ?

— Oui, je veux bien. Je pense que c'est une bonne idée que tu y ailles.

— Et si je croise ma mère, je la salue poliment. Pas de drame.

— Bonne idée.

■

La main de Bénédicte se liquéfie dans celle d'Antoine. Il serre un peu plus fort. Dans le salon, quelques groupes de personnes, majoritairement des septuagénaires, discutent en petites grappes. Devant le corps de la grand-mère exposé, Bruno, Catherine, Delphine, Zachary, Danièle et Marie se tiennent debout pour recevoir les condoléances des gens qui défilent.

Bénédicte s'installe dans la queue. Chacun est surpris de la voir là, mais la mère, surtout, ne sait que faire de la froide accolade de sa fille, qu'elle n'a pas vue depuis des années. Elle croit à une réconciliation, se méprend sur ses fantasmes, cherche à la retenir par le bras, mais Bénédicte résiste à la prise et s'agenouille devant sa grand-mère. La main posée sur son visage blême, derrière la porte de ses paupières closes, elle cherche un souvenir, un signe pour se rapprocher d'elle, la faire entrer dans son histoire.

Le cousin Élie s'est approché d'elle.

— C'est cool que tu sois venue !

Bénédicte refuse de quitter Rose des yeux, de peur de passer à côté du film. Elle sent sur elle le regard froissé de son cousin. Rien ne vient. Écran noir sur corps blanc.

Antoine se désole de la mine éteinte de Bénédicte sur le chemin de l'église. Son absence ne laisse pas deviner la vie trépidante qu'il lui connaît au-dedans, rien qu'un abîme de tristesse.

Bénédicte grelotte en s'asseyant dans la grande église. Elle n'écoute pas la messe, en athée coupée des choses de la religion, nullement concernée par ces ritournelles qui sont chez elle sans écho. Elle en a assez des dialogues de sourds et des films muets. Seul le spectacle de l'assemblée l'intéresse. Ces grands-tantes, grands-oncles, cousins et amis de jeunesse, disposés en rang d'oignons, ont tous un lien avec Rose. Bénédicte cherche à reconstituer la chaîne humaine comme si elle renfermait les reliques de l'aïeule.

À son âge avancé, la grand-mère avait encore un nombre impressionnant de connaissances. Il fallait qu'elle ait été bien sociable ! Les petites dames soignées, vêtues de leur plus belle toilette, ont cette élégance rangée dont faisait preuve sa grand-mère, mais Bénédicte ne retrouve chez aucune d'elles l'allure de Rose. Cette grâce qui dépassait la coquetterie, lui semble-t-il.

Le prêtre passe la parole à une grosse dame qui s'avance devant le lutrin.

« Tu vas nous manquer, ma Rose. Ton départ va faire un gros vide dans ma vie. T'étais discrète, mais tu prenais ta place. Des cousines comme toi, ça se remplace pas ! T'avais tes cachettes, mais moi je savais te comprendre. Quand je t'ai vue partir avec Fernand, je me suis demandé s'il serait capable de t'écouter, parce que tu pouvais être ben silencieuse des fois, mais ça voulait pas dire que t'avais rien à dire ! Je sais pas si Fernand a su t'écouter, mais nous autres, on a continué à se voir, pis à se parler, pis ma vie aurait pas été la même sans toi, Rose. Maintenant, je vas garder le souvenir de toi précieusement, près de mon cœur, pis je vas toujours me rappeler tout ce qu'on s'est dit. »

La femme cache ses pleurs derrière un mouchoir. Bénédicte, qui n'a jamais assisté à des funérailles, s'étonne qu'elle s'adresse directement à la morte, comme si elle était encore là, l'oreille tendue depuis son cercueil. Quand quelqu'un de proche nous quitte, il reste peut-être présent quelque temps avant de n'être plus l'interlocuteur qu'on aborde à tout moment. La disparition corporelle devancerait donc le vrai départ, le moment où plus personne ne répond aux appels, où le fil se rompt définitivement. Pour Bénédicte, l'absence de Rose a été d'une éternelle constance. Dans la vie comme dans la mort.

Une autre vieille femme, habillée d'une longue robe noire moulante, prend place devant l'assemblée.

« J'ai connu Rose à l'été 1938. On avait vingt ans et on était les coqueluches de Québec ! On aimait ça, sortir, danser, pis Rose monopolisait le plancher de danse. Elle passait jamais inaperçue. Les hommes voyaient rien qu'elle ! Même si elle était plutôt réservée dans la vie de tous les jours, comme vous devez tous le savoir, moi j'ai connu une autre Rose, pas gênée pantoute pis qui savait prendre sa place ! Je veux pas froisser Fernand, mais elle aurait pu avoir beaucoup de prétendants. Mais Rose s'intéressait moins aux hommes qu'à sa carrière. C'était la plus ambitieuse de nous autres, la Garneau. Elle a commencé comme vendeuse chez Biron & Frères, pour ouvrir sa propre entreprise à vingt-six ans. Rose a fait son chemin dans les affaires comme un train en marche qui ne peut pas s'arrêter. Quand elle avait une idée en tête, la petite Rose, c'était pas possible de la faire reculer ! Tu vas nous manquer, Rose ! »

La dame se rassoit. Bénédicte cherche à faire coïncider la femme ambitieuse qui chauffait les pistes de danse avec la grand-mère qu'elle a croisée dans des salons garnis de plantes en plastique les soirs de Noël.

Un homme s'approche à son tour du lutrin. Bénédicte reconnaît Jacques, un ami de longue date de la famille, plus jeune que sa grand-mère. L'homme ventru se râcle la gorge et reprend son souffle.

« Si je devais garder rien qu'un souvenir de Rose, ce serait celui d'une femme délicate qui avait la force d'un gladiateur ! Elle était la seule qui pouvait tenir la soirée avec nous autres, la gang de gars su' le party ! Rose avait vraiment un train d'enfer, pour reprendre l'image de Raymonde. Elle buvait pas autant que nous autres, mais y avait personne qui pouvait nous suivre de toute façon, sauf que Rose était capable de rester debout toute la nuit. Sa maison était toujours ouverte et elle aimait ça, recevoir ! Pis elle manquait jamais un jour à l'ouvrage ! Une vraie bête d'énergie ! Je ne l'ai jamais vue fatiguée, la Garneau. Elle avait aussi son jardin secret, qui devait être pas mal occupé parce qu'elle avait toujours l'air de voyager dans sa tête. Je me suis souvent demandé c'qui pouvait ben y avoir dans c'te tête-là. Mais je l'saurai jamais, faut croire ! C'est d'même que Rose va toujours rester dans ma mémoire : une femme qui aimait ben trop la vie pour s'endormir quand y avait du monde debout ! Repose-toi bien, Rose. »

Antoine jette un regard interrogateur à Bénédicte. Ils pensent la même chose.

Bénédicte revoit son appartement de la rue Saint-André où, pendant quatre ans, elle n'a presque pas dormi, en vigile épiant dans le noir les premiers rayons du soleil. De la porte toujours ouverte de son quatre et demie, seule parmi les oiseaux de nuit, prise avec ce tumulte intérieur qui innervait toutes les fibres de son corps, Bénédicte fixait son œil de sentinelle sur les âmes égarées du quartier. Sa solitude ne se brisait pas facilement, mais elle ne refusait jamais l'entrée aux noctambules ni à personne qui pouvait se tenir debout avec elle sous la lune.

Une femme très âgée, vêtue d'un ensemble rouge cerise, se dirige avec précaution devant l'auditoire. On la sent très émue, sa feuille tremble entre ses doigts. Bénédicte lui trouve quelque chose de familier dans le regard, une sorte de complice parenté. Pourtant, elle ne se rappelle pas l'avoir déjà croisée.

« Bonjour. Je m'appelle Clarilda Bergeron. Je suis sans doute la plus vieille amie de Rose. »

Bénédicte étire le cou pour ne rien perdre du discours de la petite dame au prénom rare. Il lui semble possible que sa grand-mère ressuscite de la bouche de cet étonnant bout de femme à la voix érodée par le temps, osant arborer du rouge à l'enterrement de son amie.

« On s'est connues à l'âge de cinq ans. Nos mères s'aimaient pas beaucoup, mais nous autres, on s'aimait quand même. On a grandi dans la même rue et on a étudié ensemble. On s'est un peu perdues de vue quand on s'est mariées. Rose a disparu avec sa famille pendant une couple d'années et puis elle est revenue quand ses enfants sont partis de la maison. On s'est retrouvées comme avant. »

Clarilda Bergeron relève la tête et parcourt l'assemblée du regard. Elle tombe sur les yeux de Bénédicte et poursuit son allocution sans les quitter, comme si elle avait trouvé son point d'ancrage. Elle récite maintenant de mémoire, sans sa feuille.

« Je sais que ç'a pas toujours été facile avec ses enfants, parce que Rose était une femme de carrière, indépendante et entière, mais je l'ai toujours respectée pour son esprit libre. On choisit pas toujours nos familles. »

La femme marque une pause, le regard toujours fixé sur Bénédicte.

« Moi, en tout cas, c'était elle, ma famille. Rose m'a toujours accordé une petite place, même si elle faisait partie des gens seuls qui n'appartiennent à personne. Je suis sûre qu'elle sera bien avec les étoiles. Adieu, Rose ! »

Avant de quitter le lutrin, Clarilda Bergeron lance à Bénédicte un sourire allié qui lui dévisse le cœur.

Bénédicte n'entend rien des murmures dans l'assemblée. Des visages froids se tournent vers la dame en rouge qui retourne s'asseoir sans rien perdre de sa dignité.

Bénédicte croise le regard assassin de sa tante Danièle qui n'a de toute évidence pas apprécié le discours de cette amie excentrique de sa mère, qui faisait partie de la face cachée de sa vie. À ses côtés, la mère de Bénédicte, tendue comme un câble électrique, affiche un air de vierge offensée. Bénédicte aurait sûrement été une mère ingrate avec sa mère pour fille, pense-t-elle en observant sa génitrice.

L'oncle Bruno est maintenant debout face à eux, le visage crispé et l'œil mauvais. Il parle vite et ne cache pas son agacement.

« Comment résumer la vie de maman ? Elle était pas facile à cerner. Je pense qu'elle voulait pas qu'on la cerne. »

L'homme s'arrête de parler comme pour chercher l'approbation du public.

« C'était certainement une mère hors du commun. Une des premières femmes d'affaires de son époque. Dans les années cinquante, on était les seuls enfants du quartier à avoir une mère qui travaillait. Maman nous en a fait voir de toutes les couleurs. Elle est restée tripeuse jusqu'à sa mort et je pense qu'elle n'avait pas de regret. Maman, on aurait voulu la changer qu'on n'aurait pas pu ! Ceux qui la connaissent se souviennent sûrement de sa tête dure… »

L'oncle Bruno parle de la même femme que cette Clarilda, et pourtant, Bénédicte jurerait qu'il s'agit d'une autre. Elle pense aux trois enfants abandonnés par la mère qui travaillait, cherche sur leurs trois visages quelque chose qui pourrait lui inspirer de la compassion, mais ne trouve rien. Les mots de l'oncle se dissipent dans le brouillard de la mémoire de Bénédicte où son faible souvenir de Rose se mêle à tous ces portraits, des touches successives qui se superposent, puis finissent par s'arrêter sur une image qui s'imprime dans sa tête. Et que plus personne ne pourra noircir.

Sur cette image, Rose se tient droite et fière, dominant l'arbre généalogique, les yeux allumés de l'intérieur, générant leur propre feu. Ses enfants ne lui ressemblent pas. L'extraordinaire ne génère pas toujours l'extraordinaire. Il peut se perdre en chemin. Il faut avoir le coffre pour soutenir l'orchestre. Autrement, on se contente d'être un instrument.

La mère de Bénédicte n'arrivait pas à en accorder un seul, toujours à s'appuyer sur son voisin pour marcher droit ou à l'attirer avec elle dans sa chute. Bénédicte comprend pourquoi Rose est restée dans l'ombre. Personne de la famille ne pouvait lui présenter sa grand-mère, parce que c'était eux, les étrangers, les ovnis, les absents.

Antoine prend la main de Bénédicte.

— Ouais, pas pire, l'ancêtre! Je me suis toujours demandé d'où tu venais, belle noire, avec ta maudite tête de cochon ! Je pense que tu viens d'une Rose plus épineuse que toi... Pis je pense que tu peux plus dire que des familles qui se tiennent pas ensemble, ça veut rien dire.

Bénédicte ferme les yeux. Elle éteint les lumières de Noël, savoure le nouveau film avec, en vedette, une grand-mère de souche solitaire composant sa propre symphonie. Elle retourne à sa vie souterraine, loin du clan, là où les déshérités rencontrent parfois une sœur ou un frère aux confins de l'arbre généalogique.

La mère de l'empereur

Marc-Aurèle ne connaît rien aux empereurs, mais il sait que sa mère lui a donné ce prénom en hommage à l'un d'eux. Vanessa lui a souvent répété qu'il devrait être fier de porter ce nom célèbre, or Marc-Aurèle soupçonne Vanessa de vouloir le mener par le bout du nez avec cette histoire-là.

« Je vais devoir parler comme les fils de bourgeois, m'habiller avec des vêtements chers qui vont me faire passer pour un métrosexuel pis je suis sûr qu'elle va vouloir que je fasse des affaires chevaleresques et compliquées au lit. Moi, j'aime ça simple. »

N'empêche, Vanessa a tout de suite perçu un truc qui élève Marc-Aurèle au-dessus des autres hommes. Sa posture, ce petit quelque chose d'élégant dans le geste et, surtout, ce prénom peu commun, impérial. Elle, elle a plutôt un prénom de chanteuse pop. Sexy, certes, mais comme elle est brune, qu'elle a les palettes d'en avant bien serrées et des formes généreuses, jamais son profil n'inspire la comparaison avec la jolie interprète de *Tandem*.

Si elle était un homme et s'appelait Marc-Aurèle, elle saurait honorer son prénom, et si elle avait en plus des origines italiennes, elle troquerait volontiers le Choquette du père pour le Tavernini de la mère. Mais Vanessa s'appelle Couillard et vient de Greenfield Park. Elle n'en parle jamais. Elle habite un trois et demie à Outremont qui lui coûte la moitié de son salaire de secrétaire juridique et vit comme si elle y était née.

Quand Marc-Aurèle a commencé son stage chez Scott & Pratte, il n'a pas porté attention à la secrétaire qui l'a accueilli, bien que Vanessa lui assure qu'elle a tout de suite senti la chimie opérer entre eux. Marc-Aurèle se souvient surtout de son mal de tête carabiné, parce qu'il avait étiré sa soirée Chez Baptiste, la veille, pour se détendre avant sa première journée officielle dans un cabinet d'avocats. La journée avait passé très vite. C'est à peine s'il avait eu le temps de dîner, enfilant les réunions avec les patrons, la lecture des dossiers de ses premiers clients et les séances de familiarisation avec les logiciels de la compagnie, aidé par sa secrétaire, Gisèle.

Vanessa, elle, était la secrétaire personnelle d'Hubert Pratte, un des deux patrons de la boîte, en plus d'être chargée de l'accueil des bureaux – elle cumulait les deux postes depuis un an et demi pour pouvoir payer son logement outremontais. Quand Marc-Aurèle Choquette avait quitté les bureaux à 19 h 36, les yeux cernés et la tête prise dans un étau, Vanessa s'était empressée de l'inviter pour un verre de bienvenue. Il avait décliné son invitation, prétextant devoir se reposer après cette première journée éprouvante, rêvant déjà de sa pinte de rousse au comptoir avec Big. Elle lui avait fait promettre de se reprendre le lendemain, ce à quoi il avait acquiescé, soulagé de pouvoir filer en douce sans perdre une autre minute de son 5 à 7 largement entamé.

Big l'avait accueilli déjà bien imbibé, réglé qu'il était depuis 5 h sur le spécial « deux pour un ».

— T'as manqué le spécial, mon Marco ! Mais j'imagine qu'avec ton nouveau salaire d'avocat, t'auras pus besoin de la payer moins chère, ta bière !

Marc-Aurèle se foutait du prix de sa pinte mais se désolait à l'idée qu'il serait désormais toujours le dernier arrivé, en décalage avec la gang pour la descente de fin de journée. Pour rattraper son retard, il avait calé trois pintes en moins d'une heure, ce qui avait provoqué d'intenses reflux gastriques. Les quatre expressos de l'après-midi mêlés au houblon ne passaient pas. Il n'était pas accoutumé à boire autant de café. Il avait mangé des chips pour faire passer l'acidité et poursuivi avec un scotch, mais à 10 h, Marc-Aurèle dut se rendre : son corps cédait à l'épuisement.

— Tu nous lâches déjà, Marco ! Pis t'as même pas commencé à plaider !

Marc-Aurèle n'avait pas d'énergie pour se défendre et abandonna bientôt son frère de zinc.

Le lendemain, Marc-Aurèle avait oublié son rendez-vous avec Vanessa. Elle, non. Dès son entrée au bureau, sa mémoire avait été rafraîchie par l'accueil chaleureux de la jolie secrétaire, et plus la journée avançait, plus ses chances de s'esquiver devenaient nulles. À 19 h, il quitta donc le bureau en direction du bar 737, escorté par Vanessa, qui portait une robe bleue en mousseline à multiples volants, toute de voiles et de transparence. Un nuage, avait pensé Marc-Aurèle, admirant sa longue cuisse musclée entre les brèches du vêtement.

La dame aux nuages marchait avec difficulté sur ses petits talons aiguilles, chancelante du bassin mais le mollet et la fesse ô combien galbés ! Marc-Aurèle préférait les filles au look naturel, mais il devait admettre que Vanessa avait un physique plus qu'invitant. Un visage aux traits harmonieux, une silhouette athlétique et un cul ! À vous faire rouler dans l'herbe au premier pique-nique... Mais Vanessa n'était pas du genre parc, herbe ou pique-nique.

Le bar était bondé d'hommes en complets-veston et de poupées de carnaval juchées sur leurs instables tours. Vanessa semblait à l'aise dans cet environnement de femmes en équilibre. Il s'installèrent à une table qu'elle avait réservée et elle s'apprêtait à commander un cosmopolitan quand une chose grave assombrit son regard : Marc-Aurèle venait de demander au serveur une pinte de rousse.

— Une bière ? Avec tous les cocktails qu'ils ont ici !

— Je bois pas de cocktails.

Vanessa avait fait mine de ne pas s'en formaliser, ruminant déjà un plan secret de conversion.

— Alors ? Est-ce que Marc-Aurèle Tavernini se plaît chez Scott & Pratte ?

— Tavernini ? Je m'appelle Choquette. Où es-tu allée chercher ça ?

— Je dois avouer que j'ai regardé ta fiche de renseignements et que j'ai découvert que ta mère s'appelait Tavernini. C'est tellement plus beau que Choquette !

— Ouais, mais c'est pas mon nom.

— Mais tu pourrais le changer…

Marc-Aurèle préférait ne pas s'éterniser sur cette histoire de nom. Il puisa un peu d'énergie dans sa bière en espérant faire dévier la conversation. Vanessa ne se fit pas prier pour parler d'elle, de ses rêves de devenir importatrice de vin et d'acheter une grande maison à Outremont, de son salaire de secrétaire juridique qui ne suffisait plus à subvenir à ses besoins, de ses voyages en Californie sur la route des vins, de ses cours de sommelière. Marc-Aurèle écoutait d'une oreille, l'esprit liquéfié par sa journée, fixant la bouche de Vanessa, un fruit vermeil à la pulpe juteuse. Charmé par sa volubilité, il la laissa discourir en se commandant une deuxième pinte. La soirée n'était pas si désagréable, finalement. Quand il demanda au serveur une troisième pinte, Vanessa cessa de parler. Lui coulant un œil inquisiteur, elle s'enquit de sa consommation d'alcool. Pris au dépourvu, Marc-Aurèle se contenta de lui dire qu'elle aimait bien le vin, elle !

— Mais ce n'est pas du tout la même chose ! Le vin se boit en mangeant. C'est un liant social, un art ! La bière, c'est fait pour se soûler !

— Ben, ça dépend combien t'en bois.

— Disons que trois pintes en quarante-deux minutes, ça ressemble pas mal à un débit de soûlon.

Marc-Aurèle avait encaissé la réplique de Vanessa comme une insulte, mais s'était surtout étonné de la précision du calcul. Il préféra ne pas riposter. Après tout, il se foutait pas mal de ce que cette collègue pouvait penser de sa consommation. Visiblement, son plan de finir la soirée avec la belle Vanessa au cul de rêve venait de s'arrêter net à la troisième bière sifflée en sa compagnie. Or Marc-Aurèle ne soupçonnait pas l'étendue des charmes que son nom, sa naissance et sa profession pouvaient avoir pour une fille comme Vanessa. Penchant pour le houblon ou pas, un avocat prénommé comme un empereur, dont la mère était née à Milan et qui avait grandi à Notre-Dame-de-Grâce, méritait d'entrer dans le lit de la femme déguisée en nuage.

Après un souper au Club Chasse et Pêche qui avait coûté à Marc-Aurèle plus cher que ses cinq dernières sorties au restaurant et où il avait troqué la cervoise pour le vin hors de prix choisi par Vanessa, le jeune homme s'était retrouvé dans les draps de satin de la belle secrétaire qui, une fois descendue de ses échasses, lui avait paru encore plus jolie. Grisée par son rêve d'empires et de châteaux italiens, Vanessa avait cueilli l'homme par qui le bonheur devait arriver.

La facilité avec laquelle Marc-Aurèle avait conquis Vanessa lui faisait croire à la valeur de leur union. Ils s'étaient trouvés, comme si la nature les y prédisposait. Les premières semaines avaient filé en accéléré, si bien que Marc-Aurèle et Vanessa avaient très vite formé un couple. Le temps paraissait cheminer sans eux, les rapprochant sans plan et sans interrogation. Marc-Aurèle s'étourdissait à accomplir les douze travaux de madame, pendant qu'elle bûchait à lui redonner la fierté de ses origines. Auprès d'elle, un avenir s'ouvrait à lui, plus brillant que ceux auxquels il avait jamais rêvé. Chaque défi à surmonter donnait à l'existence une densité nouvelle. Plus de temps mort. Plus d'ennui. Que du chemin à parcourir.

Vanessa, pour qui un homme comme lui devait voir le monde s'agenouiller à ses pieds et non pas noyer ses heures dans l'alcool avec de mauvaises fréquentations, avait rencontré Big dans un apéro dînatoire organisé pour l'anniversaire de Marc-Aurèle. Le contact avait été frigorifique et le verdict, sans appel: Bernard, surnommé Big, n'était pas à la hauteur de Marc-Aurèle. Ce dernier avait essayé d'argumenter, mais la cause était perdue d'avance. Vanessa lui faisait miroiter sa noblesse, son avantage sur les autres, sa supériorité. Allait-il laisser dormir ce potentiel de grandeur encore longtemps? Quand allait-il honorer ce prénom d'empereur romain réputé pour la pureté de ses mœurs?

■

Marc-Aurèle prend maintenant Vanessa pour une sorte de devin. Elle possède une antenne qui lui fait sentir à distance ses rechutes. Il suit une cure de désintoxication pour contrer l'alcoolisme naissant qu'elle lui a découvert, et plus il s'éloigne d'elle, plus le collier se resserre. Elle sait ce qu'il détruit quand il part sur la go avec ses *chums* de la taverne. Elle est pleinement lucide. Elle est sa lumière. Mais pourquoi donc retombe-t-il toujours dans les ténèbres ?

Chez Baptiste, son repaire de toujours, cette caravane du bonheur, s'est transformé en chambre infernale. Il franchit le pas de la porte comme l'homme qui transgresse une loi sacrée, la tête basse, la faute au cœur. Il boit souvent seul, en silence, jusqu'à se confesser du péché devant sa blonde Ses six messages et quinze textos envoyés chaque soir où il met les pieds à la taverne témoignent de sa mainmise sur lui, disent les amis de Marco, qui évoque plutôt la présence et le dévouement de Vanessa. Une fois pardonné, Marc-Aurèle lui fait l'amour et c'est comme s'il rentrait à la maison. Elle a besoin de lui.

Après plusieurs mois d'efforts, Marc-Aurèle vient à bout de ses problèmes d'alcool, mais Vanessa le suspecte de mentir. Elle l'épie, le surveille, fouille en cachette dans son agenda, son ordinateur, son téléphone, parce qu'elle le soupçonne aussi de la tromper. Quel homme peut passer autant d'heures dans les tavernes sans se payer des femmes ? On pourrait croire que Marc-Aurèle étouffe sous la vigile de sa Gestapo personnelle ou s'ennuie de son ancienne vie de taverne, mais les souvenirs se diluent à mesure qu'il vit à jeun, comme si sa mémoire circulait par l'alcool dans son sang.

La patience de l'homme suspecté nuit et jour s'érode toutefois tandis que Vanessa lui renvoie sa déception. Elle a peu à peu sorti de la taverne le gars au prénom impérial, mais rien ne semble pouvoir effacer ses honteuses fréquentations de départ. Vanessa y revient si souvent que Marc-Aurèle se met à croire que la tache l'intéresse plus que l'homme propre qu'elle a créé. Plus il s'éloigne de la taverne, plus elle trouve à redire sur sa façon de se tenir, son manque de charisme, ses goûts douteux pour les lieux de perdition. Elle lui fait systématiquement des commentaires sur l'odeur de friture qui imprègne ses vêtements quand il s'aventure dans un *fast food*, le midi.

— Tu pues le graillon ! T'es encore allé manger dans les poubelles de la rue Saint-Laurent ?

— J'ai mangé le meilleur *smoked meat* en ville chez Schwartz's, qui est loin de goûter la vidange ! Si tu voulais bien finir par y goûter, tu verrais !

— Jamais de la vie je ne mettrai les pieds dans cette soue à cochons et jamais je ne mangerai de cette cochonnerie-là ! Vas-tu finir un jour par arrêter de me faire honte en fréquentant ces lieux minables ? Tu vas encore au ciné-parc pis dans les restaurants aux menus à cinq piasses ! Je me suis pas mise avec toi pour me retrouver dans les mêmes maudites places que les pauvres de banlieues !

Marc-Aurèle aurait pu répliquer que Schwartz's n'est pas une cantine fréquentée par les banlieusards mais un lieu fétiche des Montréalais, et que le ciné-parc est pittoresque pour un gars de bonne famille de NDG, mais il a deviné que le pèlerinage de Vanessa ne le concerne plus. Il a compris qu'elle ne l'a pas choisi pour ses beaux yeux, ni pour ses prouesses au lit, et que les hauteurs vers lesquelles elle souhaite l'élever sont celles où elle rêve de voler elle-même. Elle veut être cet empereur devant qui le peuple s'agenouille. Faute d'avoir sa naissance, elle cherche à devenir sa génitrice.

Marc-Aurèle est fatigué de remonter toujours la pente qu'elle lui fait débouler chaque jour et la quitte sans trop de remords, content que les démarches pour récupérer le nom de famille de sa mère n'aient pas encore abouti. Il va conserver son Choquette et retourner boire Chez Baptiste.

Vanessa débarque souvent à l'improviste et s'assoit au comptoir, lui coulant des yeux doux. Elle essaie de le reconquérir du haut de ses échasses, mais son bel arrière-train vacillant n'a plus le même effet sur Marc-Aurèle. Il n'a plus d'attrait pour les grues aux rêves d'impératrices. Il a eu assez d'une mère.

Quand j'étais l'Amérique

Après le mois de juin qui marquait la fin de l'école venait juillet, mois de la transhumance. Nous partions en petit troupeau, ma mère, mon frère et moi, vers la maison de mes grands-parents maternels et ces pâturages cultivés depuis des siècles, plus mûrs en tout que ceux où nous vivions. Malgré le dépaysement, cette autre famille était aussi la nôtre, la mienne, et même si j'y entrais chaque année comme un visiteur à la recherche d'une terre inexplorée, j'y trouvais avec étonnement mille petites choses familières, connues, transmises par les voies souterraines de l'éducation de ma mère, sans que je n'y prête attention.

Lorsque je parcourais pour une dernière fois le chemin allant de l'école à la maison, sous le vert éclaté des grands érables, mon cœur se faisait lourd de quitter mes amis au moment même où, l'hiver enfin mort, l'été s'ouvrait à nous en d'innombrables possibles. J'abandonnais ce grand espace vacant, plein de temps à combler, pour un séjour dans la campagne française, avec le sentiment de trahir ma fratrie.

Durant les quelques jours entre la fin des classes et le voyage vers ce pays mien sans être à moi, je vivais dans un étrange et agréable flottement, un entre-deux-mondes où je n'appartenais plus à rien ni à personne. On m'avait déposé sur une terre en m'offrant la culture d'une autre et j'allais réunir les deux rives. Le partage de mes origines m'était confirmé à mon arrivée à Roissy-Charles-de-Gaulle, cet aéroport qui marquait mon entrée au pays de ma mère, dans ce deuxième monde contenu en moi.

Sur la route balisée par les platanes, mes yeux reconnaissaient le modelage par les hommes du paysage hexagonal. Ça sentait le bitume et la concentration humaine. Tout allait plus vite. La campagne se faisait de plus en plus avare d'arbres pour faire place à plus de voies sur l'autoroute, plus de voitures, de plus en plus nerveuses, conduites par des chauffeurs cramponnés à leur volant et au visage crispé. Dans les vapes de conversations que j'attrapais depuis le siège arrière de la voiture, à côté de mon frère déjà endormi, je sentais maintenant la ville se gonfler de sa rumeur comme un gros poumon d'air comprimé par un concert de bruits, grondant de l'intérieur. J'entrais dans Paris.

Je retrouvais l'appartement inchangé de ma tante, telle une relique m'assurant que ce monde de l'autre côté de ma vie resterait toujours intact, debout dans la même position. Je m'endormais après avoir enfourné un morceau de baguette avec du beurre et de la confiture de groseilles, me réveillant en milieu d'après-midi pour aussitôt reprendre la route vers Grosrouvre, ce village où vivaient mes grands-parents, situé à quelque cinquante kilomètres de Paris. Ça pouvait prendre jusqu'à deux heures de voyage, parfois trois, selon la densité des embouteillages.

Grosrouvre n'était pas un village pour moi, mais plutôt le nom du petit domaine de mes grands-parents qui était un monde en soi. L'ancienne maison de ferme agrandie et rénovée dans les années cinquante était entourée d'un immense jardin que je transformais en parc de château. La construction en pierre sous un toit d'ardoise, avec ses six chambres, ses treize fenêtres à volets de bois, ses murs couverts de lierre, sa serre et son grenier entretenaient dans mon imaginaire de petite Québécoise le mystère des bâtisses anciennes où les murs abritent plus d'histoires qu'il n'est permis d'en rêver. La grille grinçante de la porte, le gravier disposé devant l'entrée en une longue avancée découpée par l'étendue de gazon vert pomme, où trônaient un cèdre géant, un chêne, un noisetier, un poirier, quelques pommiers, un marronnier et des massifs de fleurs multicolores constituaient mon décor de châtelet, forteresse préservée du temps et des modes. Dans la maison, l'odeur si distinctive restait inchangée année après année, et modulait quelque peu l'impression de faste de la propriété. Le mélange familier de parfums, d'odeurs de cuisine, de feu de foyer, de produits nettoyants, mais surtout de boiseries, de vin, de pain grillé et de confiture réanimait en moi une multitude de souvenirs et ramenait le lieu à mon échelle. Ce bouquet formé par des décennies de vie familiale m'appartenait aussi.

Je m'engouffrais dans cette maison comme dans le sein maternel, m'endormant sous la grosse couette de plume molletonneuse en imaginant le petit corps de ma mère enfant, coulé dans le lit au même endroit que moi. Je devenais la petite Française que je n'avais jamais vraiment été, mais qui possédait ce bagage sensoriel inscrit dans le corps, et que je pouvais retrouver à ma guise comme une trousse de connaissances déposée à l'autre bout du monde, ressuscitant cette seconde moitié de moi.

Une colonie de cousins et cousines faisait aussi son entrée dans la maison pour les grandes vacances. Dans cette petite société familiale réunie quelques semaines sous le même toit, je découvrais l'étrange flottement de ma double nationalité. Plutôt qu'une addition, ce statut me divisait sans que je ne puisse clairement identifier la ligne de partage.

La vie allait très vite dans notre communauté qui réglait les courses, les repas, les siestes, les bains, les jeux, la surveillance autour de la piscine, le tout impliquant une douzaine d'enfants et l'équivalent d'adultes. Je passai inaperçue pour quelque temps, du moins pendant les discussions des longs dîners où les répliques filaient comme des balles de ping-pong et où les enfants étaient bien souvent tenus à l'écart, à une table séparée de celle des adultes, convoitée par les plus vieux d'entre nous. Vers quinze, seize ans, les cousins accédaient généralement à la table réservée aux adultes où ils pouvaient boire du vin et se la jouer « personnes respectables et importantes », mais leurs bâillements et leurs regards constants jetés de notre côté trahissaient leur ennui.

Pendant ce temps, à la table des enfants, le ping-pong s'exerçait déjà au sujet des portions de pommes de terre, du pichet de grenadine qui ne s'était pas rendu jusqu'à l'extrémité de la table, du parfum des yaourts (nous nous arrachions la fraise et rejetions en bloc la banane), de la distribution des gâteaux assurée par l'aîné qui exerçait aussi son autorité au sujet de la façon de manger des petits, se substituant à l'autorité des parents dans un jeu de pouvoir qui commençait très tôt. Tout était motif à la dispute, et devant l'argumentaire passionné de mes cousins, je restais muette, en retrait des combats, éblouie et intimidée par l'impétuosité de ce clan descendant de Mars et de Descartes, guerriers de la parole capables de vous dévisser la tête d'un raisonnement logique émanant de leurs esprits éclairés. Je découvris beaucoup plus tard l'enseignement des Lumières qui coulait aussi dans mon sang, mais dilué par l'héritage de mon peuple de taiseux.

Mes silences finissaient par devenir suspects aux yeux du clan, qui exigeait alors que je parle. Acculée au mur de notre langue commune, j'étais accusée de parjure pour fautes de vocabulaire.

« On ne pige pas une carte mais on la pioche ! »

« Tu n'as pas une roche dans ton soulier, mais bien une pierre dans ta chaussure ! »

« Ce n'est pas une bibitte mais une bestiole qui te chatouille la nuque ! »

« On ne joue pas avec des blocs et une chaudière, mais avec des cubes et un seau, ma chérie ! »

Le costume de bain prenait le bord pour le maillot, la pâte à dent, pour le dentifrice, le dépanneur, pour l'épicerie, mais je devenais vraiment lamentable quand il s'agissait d'accorder mon instrument au leur. Je ne parvenais pas à m'harmoniser à leurs chants, restant prisonnière de ces diphtongues allongées, de ces *un* qu'ils disaient *in*, de ces *on* et de ces *â* qui leur tiraient des éclats de rires, de ces atterrissages de mots sans finale où j'écrasais la langue dans les basses, tandis qu'ils la hissaient toujours plus haut en un concert de sopranos. Par fierté, je revendiquais mon accent, mais plus je cherchais à l'affirmer, plus ma langue fourchait dans ma bouche d'où jaillissaient de fausses notes me parvenant à moi aussi comme un étrange sabir au milieu de leur musique pleine d'aplomb chantée en chœur.

Le flottement n'existait pas chez eux, qui manipulaient les mots comme les Mousquetaires maniaient l'épée, alors que mon français naissait aux sources taries d'un vocabulaire métissé et bâtard. Ce n'est qu'en sortant, plusieurs années plus tard, de ce vieux complexe de colonisé que je goûtai à la richesse du québécois, ce blues grave, infiniment plus libre et fécond que le langage à moitié assumé que je servais dans mon enfance à ma famille française. Je finissais, comme tant d'autres fatigués de se battre contre les murs de la mauvaise foi, par abandonner ma langue aux mains de mes ravisseurs. Je faisais le caméléon pour acheter la paix, mais cette retraite ne marquait toutefois pas l'armistice. C'était le début de ma quarantaine, la pierre d'achoppement de mon intégration et le début de mon affirmation.

Cela se passait généralement à l'heure de l'apéro, lorsque adultes et enfants étaient réunis dans le jardin autour d'un plateau d'amuse-gueule. Le whisky avait d'ailleurs le don de les amuser, ces gueules qui se tournaient vers moi :

« On dit comment, chez vous ? »

« Mais vous n'avez pas ça en Amérique ? »

« Quelle langue on vous apprend à l'école ? »

J'avais envie de répondre le japonais, mais me contentais d'essayer de leur transmettre ma réalité, cherchant ce qu'ils pouvaient imaginer de si différent à nos comportements, pratiques et coutumes qui me paraissaient assez semblables aux leurs. L'Amérique se transformait en un continent extrême mêlé d'Apaches et de traîneaux à chiens, de communautés d'analphabètes vivant à mi-chemin entre la modernité et l'atavisme, bouffant des nourritures du futur entre une chasse à l'orignal et une turlute de Vigneault. Je devenais l'interprète de ce monde mythologique fabriqué par leur désir d'altérité et enveloppé dans une grande robe de mystère. Mais que pensaient donc les Canadiens d'Israël ? Les enfants savaient-ils distinguer l'anglais du français ? Allais-je à l'école en raquettes, et mes amis, savaient-ils ce qu'était la France, et Staline, et les camps de concentration ?

Par peur de les décevoir ou parce que l'enchaînement rapide de leurs questions ne semblait pas attendre de réponse, ou qu'elle était déjà formulée dans leurs interrogations, je jouais au barbare, exagérant certains traits de mon troupeau ou sortant l'anecdote de l'enfant mort sous la charrue à neige pour épater la galerie. J'étais l'Amérique et j'en faisais ce que je voulais.

Le jeu me grisait quelques minutes mais, rapidement, j'étais rattrapée par un pénible sentiment de diffamation. Je portais le continent sur mes épaules et avais l'impression de simplifier à outrance la pensée et les traditions de peuples amalgamés pour la cause. Mes répliques n'étaient que du vent soufflé sur une vérité hautement complexe et que je n'arrivais pas à traduire, faute de savoir mettre en mots le fossé qui me séparait de ma famille française.

L'incapacité venait d'abord de mon fort sentiment d'appartenance à ce clan, de ce lien étonnamment plus solide et profond que celui qui me soudait à ma souche familiale québécoise. Je jouais à l'étrangère que je n'étais pas, car je me sentais chez eux, chez moi. Il y avait pourtant une réelle différence entre eux et moi, un mur épais qu'on me demandait, dès l'âge de la parole, de nommer et d'expliquer.

Il y avait bien une chose que je pouvais noter, à force d'observation, une divergence logée entre le front et la bouche qui, chez eux, communiquaient sans intermédiaire, contrairement aux miens, lesquels exigeaient un processus assez lent de transformation pour que l'idée mijote, mue, puis atteigne sa formulation. Alors que leur tête et leur bouche réagissaient simultanément, les miennes fonctionnaient séparément. Lors des interrogatoires à l'heure de l'apéritif, je subissais la pression découlant de cette différence. Durant la joute, il ne fallait jamais briser le flot verbal, au risque de perdre mon tour de parler, mais ma disposition naturelle exigeait de laisser voyager les idées dans mon crâne avant de les déposer sur mes lèvres. Il me semblait que ma famille ne faisait confiance ni au temps ni au silence que ce processus impliquait. Alors on interrompait mes méditations en laissant les questions en suspens, trop pressés de remplir chaque vide de mots.

J'ai longtemps associé ma lenteur au doute ou à l'incertitude de mes convictions, brandies avec tellement plus de panache et de fermeté par ma confrérie française. Chaque été, à la saison de ma transhumance, j'apprenais à muscler mon front pour produire du discours plus rapidement au pays du verbe et des guerres d'esprit. La grande différence entre eux et moi demeurait toutefois une énigme. J'étais née entre deux mondes cohabitant en moi, alors comment départager l'étrangère de l'autochtone, nourrie presque également aux deux pâturages ?

L'âge adulte a depuis fait dévier mes transhumances de juillet vers une autre colonie, boréale celle-là, loin du jardin français à l'immuable géométrie et peuplée d'arbres indigènes. Dans sa forêt folle, sur une route vierge où l'herbe avait été tapée peut-être par un chevreuil ou une famille de lièvres, le mystère a montré ses contours sans se révéler complètement. J'avançais, conduite par la respiration du grand corps sauvage de ce bois giboyeux, quand les mille chemins du silence m'ont parlé du langage des taiseux, de cette langue pas encore brûlée par le temps et circulant librement dans l'espace. Je n'avais plus seulement qu'un passage du front à la bouche pour dire, mais toutes les voies inexplorées de l'anatomie du rêve. Je découvrais la voix secrète naissant avec la permission de s'absenter de la réalité, de la conversation, de la société, pour entendre une autre musique que celle du verbe. Sans le savoir, j'étais déjà un peu cette Amérique-là quand je défilais, petite, devant la famille française. Le pays de la lente parole à naître.

Amour stellaire

> Et ainsi nous voulons croire à notre amitié d'étoiles, dussions-nous être ennemis sur la terre.
>
> NIETZSCHE, *Le gai savoir*

Plus Julia aime quelqu'un, plus l'être aimé a tendance à s'éloigner. C'est une loi qu'elle a découverte en même temps que celles des probabilités, qui décrivent les comportements aléatoires d'un phénomène dépendant du hasard.

La première fois que Julia vit Camille, elle fut instantanément séduite. Elle se sentit attirée naturellement vers elle, comme par une âme sœur. Était-ce la détermination dans le regard, l'assurance calme et souveraine ou ce discret éclat de folie, pas tout à fait assumé, comme la promesse d'un feu prêt à jaillir, qui lui fit voir tout de suite qu'elle pourrait bien s'entendre avec cette fille ? L'attraction de son corps pour le sien lui donnait un élan de puissance, de ceux qui peuvent faire exploser ce qui dort.

Camille trouva d'abord quelque chose de ringard chez Julia. Peut-être à cause de son jean pattes d'éléphant ou parce que son maquillage un peu criard, sa coiffure soignée et ses ongles rouges affichaient ce clinquant qu'elle-même évitait. Mais quand Julia lui parla de son père antillais, de ses premières années de vie martiniquaises, Camille chassa la première image pour celle d'une de ces beautés océaniques aux couleurs chatoyantes qu'on voit sur les peintures de Gauguin. Julia leur ressemblait.

Elles rirent du gars qui organisait la fête où elles se rencontrèrent, pour se rendre compte qu'elles s'étaient rabattues sur ce party minable parce qu'une célibataire se doit de sortir le samedi soir en signe de bonne volonté. Mais le fait est que la fête n'attira que des « couples suçons », comme les appelait Julia, et quelques restes des repas des autres. Julia avait en horreur ces filles et ces gars qui, dès qu'ils se trouvaient en couple, devenaient les parties inséparables d'un même corps, se parasitant l'un l'autre comme de pauvres vampires incapables de vivre par eux-mêmes. Camille pensa que Julia devait être seule depuis longtemps pour nourrir autant de rancœur contre les amoureux, mais avouait que Julia visait juste quant à la triste dépendance de ces duos qui ne parlaient plus qu'au *nous*.

Julia emmena ensuite Camille en retrait, sur le balcon, pour lui confier qu'elle avait eu un flirt avec le Sacha qui faisait le clown depuis tout à l'heure dans le salon. Il lui avait pas mal couru après quelques mois auparavant, mais après trois nuits passées ensemble, elle avait trouvé qu'il ne l'honorait pas. Il ne semblait pas trop savoir ce qu'il voulait.

— Il est trop beau, tu ne trouves pas ?

— Il est assez pétard, en effet.

— Le problème avec les pétards, c'est qu'ils savent qu'ils sont beaux et ils oublient de soigner le reste. Ils deviennent souvent très cons, surtout si leur mère leur a bien fait entendre qu'ils sont les plus belles créatures de l'Univers. Ils s'asphyxient de narcissisme, tu ne trouves pas ?

Camille réfléchit. En fait, elle n'avait jamais vraiment fréquenté de pétard. C'était d'ailleurs peut-être pour cette raison. Elle n'avait pas le béguin pour les étalons aux visages réguliers et à la musculature travaillée. Elle avait un faible pour les gueules, les physiques expressifs, singuliers.

— Tu m'as l'air perturbée par ma question.

— Non, non, c'est juste que je ne peux pas te répondre parce que je n'ai jamais été avec des beaux gars.

— Ben voyons ! Tu vas pas me dire que tu préfères les laids ?

— Disons que j'aime les gars singuliers.

— Mais l'un empêche pas l'autre, ma chère ! Moi je pense que t'as juste pas encore osé aller vers des gars qui t'accotent, parce que t'es pas mal plus jolie que la moyenne des filles !

— Merci pour le compliment.

Camille n'insista pas. Elle n'avait pas le charisme de Julia, l'arme première pour harponner les beaux mâles. Julia l'observait comme pour évaluer son potentiel de chasse à l'homme, l'invitant à le tester sur elle.

— Comment tu t'y prends pour les séduire ?

Camille rêvait d'en finir avec cette situation embarrassante.

— Je n'aime pas ces jeux-là.

— Tu dois quand-même savoir les emballer un peu, avec tes beaux grands yeux…

À ce moment-là, Camille sentit rugir la lionne en elle. Le compliment de Julia et son invitation à sortir ses atouts de séductrice la piquaient au ventre et elle se mit à désirer très fort cette morsure sans en connaître la nature.

— Ah, voilà ! La conquérante sort de son sac ! Ouais ! Pas mal…

Camille soutenait Julia du regard avec l'envie idiote de lui prouver qu'elle n'était quand même pas prude. En fin de soirée, Julia demanda à Camille ses coordonnées. Elles se laissèrent vers 1 h du matin devant le parc La Fontaine et Camille sentit beaucoup d'ardeur dans l'accolade de Julia, comme si elle voulait la retenir. Elle repartit le cœur plein de la surprise de cette rencontre fortuite, l'élan d'un amour spontané, pensa-t-elle.

Le lendemain, Camille se réveilla tard, déjeuna tranquillement et trouva trois courriels de Julia dans sa boîte de réception quand elle ouvrit son ordinateur, vers 12 h 30. Un premier, arrivé à 1 h 45, faisait presque trente lignes. C'était bien écrit. Julia savait manier les mots. Elle partageait ses rêves pour les prochaines années et voulait y inclure Camille. Elles pouvaient accomplir de grandes choses ensemble, conquérir le monde et devenir plus fortes à deux. Le second message lui était parvenu à 1 h 57. Julia lui lançait une invitation, comme ça, même si elles ne se connaissaient que depuis quelques heures, parce qu'elle était persuadée qu'elles pourraient vivre un été mémorable ensemble. Elle allait rejoindre ses cousins en Martinique et elle la priait de l'accompagner. Dans un troisième message, envoyé à 7 h 34, Julia espérait qu'elle ne l'avait pas intimidée avec ses missives.

« Je suis une grande enthousiaste. Je crois que la vie doit se vivre tout de suite, qu'il ne sert à rien d'attendre ou de retenir les élans de joie et d'amour. Il y a trop de gens qui passent à côté. Alors moi, je fonce. »

Camille trouvait Julia pas mal active pendant la nuit. Emportée par l'élan de sa nouvelle amie et réjouie de son invitation, elle lui envoya un message inspiré. Quelques secondes après, le téléphone sonnait. Au bout du fil, une Julia surexcitée s'enquérait du moral de Camille, avait besoin d'être rassurée : elle ne l'avait pas trop bousculée avec ses courriels ? Elle avait passé la matinée à s'inquiéter du silence de Camille, craignant de l'avoir étouffée avec son zèle.

Camille trouvait que ça faisait beaucoup d'énergie déployée pour si peu. En répondant à Julia qu'elle s'en faisait pour rien, elle ouvrait sans le savoir une nouvelle porte.

— Je sais, je m'excuse, je suis comme ça. Je peux être lourde des fois avec mes angoisses. Je suis vraiment désolée. J'aimerais qu'on fasse comme si rien ne s'était passé.

Une tendresse renouvelée pour cette fille franche et pleine de scrupules s'éveilla chez Camille en même temps qu'elle eut le sentiment qu'un grand engrenage venait de se déclencher autour de leurs deux vies.

Elles se retrouvèrent le lendemain soir dans un restaurant indien. La chaleur, le piment et le vin les mirent dans un état d'euphorique langueur. Elles refaisaient le monde à la hauteur de leurs vingt-sept ans, prêtes à tout inventer: l'amour, la famille, la carrière. Tous les carcans menaçaient de se rompre sous la force de leurs têtes frondeuses. Camille se sentait l'énergie d'une révolutionnaire qui n'aurait plus jamais à se battre seule. Avec son empathie, ses bons conseils sur tout, c'était facile de se confier à Julia. Elle répondait à des questions que Camille avait ressassées seule, pendant ses années de célibat compliqué.

— Tu devrais lâcher ce gars-là. Il a l'air vraiment branleux.

Camille voyait Julien depuis quelques mois. Ils couchaient ensemble parfois, mais avaient surtout développé une amitié. Elle ne savait pas si elle était amoureuse. C'était ambigu, comme bon nombre de ses récentes relations, mais sa présence comblait un vide. Julia ne croyait pas aux demi-teintes de l'amour.

— Tu dois être disponible pour les vrais coups de foudre !

Camille laissa Julien quelques jours plus tard. Le vide s'était refermé avec l'arrivée de Julia dont l'entière disponibilité appelait une indéfectible présence, une interaction de tous les instants. Julia l'appelait plusieurs fois par jour, l'invitait partout, lui faisait voir le monde sous de nouvelles perspectives. Camille pensait que c'était peut-être ça, l'engagement qu'aucun homme ne contractait avec elle. Entre leurs pique-niques, leurs soirées au cinéma et leurs longues nuits à parler devant des bouteilles de blanc, elles préparaient leur voyage en Martinique pour le mois de juillet.

Un soir, Camille fut invité chez son frère à un BBQ. Tard dans la nuit, elle trouva Julia en larmes devant sa porte. Inconsolable. Les mots sortaient, pêle-mêle, dans un charabia embrouillé. Camille n'arrivait pas à la comprendre. Elle finit par entendre qu'un certain type l'avait laissée tomber, un gars dont elle était si amoureuse. Étrangement, Camille n'avait jamais entendu parler de lui. Entre ses sanglots, Julia parlait aussi d'abandon. Elle n'avait jamais répondu à ses appels. Camille fouilla dans son sac pour vérifier, mais ne trouva pas le téléphone qu'elle avait oublié chez elle. À un moment crucial où Julia avait eu besoin d'elle. Une cassure dans le mouvement fluide les reliant l'une à l'autre.

Camille se confondit en excuses, mais l'épisode jeta un froid sur leur amitié. À partir de ce jour-là, elle n'arriva plus à être naturelle avec Julia. Son corps se crispait en sa présence. Elle était toujours sur ses gardes, craignant de faire un geste maladroit, de blesser son amie. La prudence de Camille sema à son tour la suspicion chez Julia, comme par une sorte de retour pervers du balancier.

C'est dans ce climat de méfiance mutuelle que Julia fit connaître la Martinique à Camille. Leurs efforts pour retrouver l'harmonie perdue des premiers jours de leur rencontre faisaient ombrage à la spontanéité de Julia, qui avait été le feu d'allumage de leur amitié. Sans cet élément clé, le mécanisme tournait à vide. Comme un enfant ivre de joie parti à la chasse au trésor et qui se retrouve au bout de sa course désorienté par son butin, Julia avait couru vers Camille à l'aveuglette. Elle marchait maintenant avec moins d'assurance vers elle, comme si elle la découvrait une seconde fois sans la reconnaître.

Malgré la tension palpable, elles eurent de bons moments, mais une ambiguïté dans le regard de Julia agaçait Camille. Quand elles marchaient côte à côte, Julia prenait sa main ou collait ses hanches contre les siennes. Elle passait la main dans les cheveux de Camille et la dévorait du regard.

Au dixième jour du voyage, la tension entre elles devint si intenable que Camille décida de sauter la clôture pour mettre son amie à l'épreuve et clarifier la lourde charge de sous-entendus qui s'étaient tissés entre elles. Camille n'avait jamais eu de relation sexuelle avec une autre femme et ne ressentait aucune excitation de cet ordre au contact de Julia, mais elle voulait faire la lumière sur l'obscure situation. Elle découvrit une Julia vulnérable, incapable de s'abandonner à son désir pourtant impérieux pour Camille. Elles s'embrassèrent d'abord doucement, puis le corps de Julia fondit dans les bras de Camille, s'effaçant derrière lui, disparaissant sans faire de bruit au fond de lui-même, intouchable. Elle ne savait pas si cette rétraction subite était un appel à venir la chercher ailleurs ou un simple signe de refus, mais elle préféra mettre un terme à l'étreinte. Elles dormirent d'un sommeil agité dans le même lit et n'abordèrent pas le sujet le lendemain.

Camille ne comprenait décidément rien à Julia, dont la transparence première s'était muée en un mutisme complet. D'un grand livre ouvert, elle était devenue un coffre à secrets hermétique. Les cinq derniers jours de leur passage aux Antilles furent plus détendus, mais Julia continuait à tourner autour de Camille comme une girouette, cherchant à accrocher un baiser. S'était-elle enfin décidée à la vouloir? Toujours est-il que Julia prenait plaisir à épier Camille et à répéter ses crises de jalousie, pareilles au chantage d'un enfant en quête d'amour. Elle l'accusait de s'être promenée seule sur la plage pendant une heure, l'abandonnant sûrement pour un bel Antillais musclé. Camille lui rappelait qu'elle n'aimait pas ce genre d'hommes, pour désamorcer l'attaque, mais Julia lui coulait un œil lubrique comme pour insinuer qu'elle non plus n'aimait pas les hommes.

La veille de leur départ, elles prirent un verre sur la plage avec les cousins de Julia. Camille refusa les avances de Jérôme, l'enjôleur qui attendait sa chance depuis leur arrivée pour sauter sur la petite Québécoise, sous l'œil possessif de Julia. Quand elles allèrent se coucher vers 2 h du matin, la chambre tournait et leurs corps chancelèrent jusqu'à se cogner l'un contre l'autre dans le lit, comme deux astres attirés par la gravité. Julia attrapa les lèvres de Camille dans un long baiser gourmand, mais quand Camille agrippa sa cuisse et la tira vers elle, Julia eut un mouvement de recul, pudique à nouveau devant l'assaut qu'elle déclenchait. On aurait dit qu'elle cherchait ce va-et-vient hasardeux comme une danse au-dessus du but, pour garder le désir en otage. Camille n'était que frustrée et surtout décidée à ne plus tomber dans le piège de la sirène aguicheuse. Elle n'avait que faire d'une amante platonique l'attisant de son corps. Elle laissa Julia à sa quête stellaire et s'enferma dans sa chambre.

Julia ne brisa jamais le silence au sujet du frôlement de leurs chairs. Elle laissa Camille comme un fruit à demi entamé, travaillé par la résistance d'une volonté céleste. À jamais sa proie, sans lui appartenir.

À leur retour, elles prirent congé l'une de l'autre avec froideur. Camille reçut quelques jours plus tard une longue lettre de Julia lui expliquant qu'elle ne comprenait pas son éloignement soudain, sa distance, son indépendance brandie contre elle. Elle parlait de trahison, d'un amour cosmique que Camille n'avait pas su honorer. Nulle part, elle ne faisait référence à son comportement bizarre lors de leurs étreintes, à ce repli face aux invitations claires de Camille, comme s'il s'agissait d'un effet du hasard, incompréhensible et dû à un comportement aléatoire de sa chair. Camille préféra ne pas répondre. Elle avait trop peur de se reprendre les pattes dans le dangereux engrenage de Julia. Elle préférait sa libre solitude à l'assemblage bancal de leurs deux corps.

Camille s'éloigna comme elle était venue. Apparition et disparition successives, comme toutes les étoiles filantes de la vie de Julia, tombées par hasard sur sa trajectoire.

La cage

Dans la voix de sa mère, Romy reconnaît l'étouffement de la colère, ce ton étranglé qui se manifeste uniquement quand elle parle de sa mère à elle, Jeanne, la grand-mère de Romy. Jeanne en est à sa troisième tentative de suicide et son geste a toujours le même effet sur sa fille : il broie toutes les fibres de son corps, comme agit l'attaque sournoise du vieil ennemi dont on connaît les ruses.

— Je cours à l'hôpital. Ta grand-mère a encore pris des pilules. Tu veux bien annuler pour moi le souper de ce soir avec ton frère ?

— Tu veux que je vienne avec toi, maman ?

— Si tu veux, mais ce sera pas drôle. Tu vas encore voir ta grand-mère dans un sale état…

Aujourd'hui, Romy ne sait pas si elle pourra supporter le cirque de sa grand-mère et encore moins le pouvoir qu'il lui permet d'exercer sur ses filles. Elle croit que Jeanne n'a jamais voulu mourir, mais qu'elle jouit des dégâts que provoque sur sa descendance l'avant-goût de sa mort, dans une sorte de vengeance froide, énigmatique. Sa grand-mère promet sa fin dont elle sait qu'elle aura quelque chose d'une délivrance, mais reste bien vivante, consolidant son emprise sur ses filles en menaçant de les quitter à tout instant.

Romy aimerait enrayer le petit jeu des mères avec leurs enfants et des enfants avec leur mère. Elle aimerait croire qu'il est possible d'échapper aux guérillas familiales et de stopper le manège puéril de sa grand-mère, mais l'engrenage semble indémontable.

Quand elle arrive sur les lieux, tout concourt au scénario habituel. Jeanne est assise dans son lit d'hôpital, en pleurs, tandis que sa mère, Inès, et sa sœur, Lucille, lui tiennent chacune une main en lui serinant la chanson apprise pour la rassurer, le miel destiné à endiguer ses crises, à la fois doux, lourd et sucré, pesant d'amertume.

Une absence dans la voix des deux filles trahit leur duplicité. Plus les mots tentent de retenir la mère à la surface, plus ils dépossèdent les deux filles, qui feignent la gentillesse pour cacher leur exaspération.

— C'est votre faute si j'ai pris ces pilules ! C'est parce que personne s'occupe de moi. Tout le monde m'abandonne !

— Mais on t'abandonne pas, maman. Il y a quelqu'un qui vient te voir presque chaque fin de semaine.

— Vous voulez plus de moi. Je le sais bien.

— Arrête, maman ! Tu sais bien que c'est pas vrai.

Romy, restée dans l'embrasure de la porte, aimerait comprendre pourquoi la belle octogénaire, en pleine forme, joue la comédie du malheur avec sa fille. D'où lui vient donc ce besoin d'apitoiement ? L'existence ne serait plus pour elle qu'une perpétuelle quête d'attention, que rien n'apaise ?

— Regarde, maman. Romy est venue avec moi !

— Tu es gentille, ma petite...

La grand-mère sanglote maintenant dans les bras de sa petite-fille.

— Tu es venue me voir... moi qui croyais que plus personne m'aimait. Toute ma famille me fuit et m'abandonne.

— Arrête tes simagrées, grand-mère, sinon je viendrai plus te rendre visite ! Personne a envie de te voir pleurer et t'apitoyer sur ton sort comme une pauvre martyre.

Jeanne cesse de pleurer. Inès regarde sa fille d'un air jaloux. Elle voudrait que ces mots sortent de sa bouche à elle, mais ils sont coincés dans sa gorge. Elle a oublié comment démonter les assauts maternels.

— Regarde autour de toi. On est là, toutes les trois. Personne t'abandonne.

— Je veux pas retourner seule chez moi.

Jeanne affiche maintenant un air de duchesse fanée. La femme de quatre-vingt-deux ans, plutôt verte pour son âge, vient de disparaître derrière un masque aux abominables traits vieillis. Inès se précipite sur elle comme sur une proie à achever.

— Maman, on t'a déjà dit que t'étais en pleine forme et que t'avais pas besoin d'aide chez toi. Pense à tous ces vieux qu'on envoie en maison de retraite ! Et toi qui as la chance de vivre dans ta maison, t'es pas contente ! Est-ce que tu te rends compte de l'absurdité de tes caprices ?

C'est quand Inès déteste sa mère qu'elle ressemble le plus à cette dernière, pense Romy. Elle a la même crispation de la bouche et ces yeux exorbités feignant l'amour mais prêts à tuer, ces mêmes yeux à la fois doux et meurtriers que ceux de sa grand-mère quand elle attaque. Dans le fantasme cruel de matricide, la fille retrouve la mère comme par un mauvais tour de la généalogie. Si Inès savait comme elle ressemble à Jeanne à ce moment précis où elle aimerait la voir disparaître, elle souhaiterait peut-être la suivre dans la tombe.

— On ne laisse pas tout seuls les gens de mon âge !

Sur ces mots, le médecin entre dans la chambre. Jeanne fait une tête de persécutée.

— Bon, qu'est-ce qui s'est passé, madame Bourgault ? Vos filles sont là, on va pouvoir s'expliquer.

— Mes filles m'ont abandonnée. Je les ai appelées hier soir pour leur dire que j'allais pas bien, que j'avais besoin d'elles et elles m'ont pas crue.

— Notre mère appelle à tout bout de champ pour nous menacer de se tuer. On finit par plus la croire…

— Est-ce que votre mère avait toute sa tête hier soir, quand elle vous a appelées ?

— Bien sûr ! Notre mère est pas démente, elle cherche l'attention…

— Voyez comme elles sont cruelles, docteur ! Elles me traitent comme si je faisais des caprices, alors que je souffre !

— Écoutez, madame Bourgault, si vous êtes souffrante, il faut qu'on vous garde ici pour vous soigner.

— Mais je ne veux pas rester avec les fous et les vieux séniles ! Je veux vivre avec ma famille.

— Pour l'instant, en attendant que vous soyez rétablie, on ne peut pas vous laisser partir seule et on ne peut pas forcer vos filles à vous prendre chez elles.

Un regard de haine est échangé entre Jeanne et ses deux filles qui savent que leur mère jouit de les voir humiliées devant le médecin. Elles passent pour ingrates, mais ne cèdent pas. Ni l'une ni l'autre ne souhaite se taper la mère à la maison.

— Je vais m'en occuper, moi. Je vais aller m'installer chez elle, le temps qu'elle aille mieux.

Tout le monde regarde Romy comme si c'était elle, la folle.

— Mais voyons, ma chérie… Qu'est-ce que tu vas aller faire dans ce trou perdu à la campagne ? Et tes études ?

— L'université est finie depuis deux semaines, maman. Je travaille sur mon mémoire à la maison, alors je peux très bien le faire de chez grand-mère.

Le scepticisme affiché par celle que concerne le plan de secours laisse présager des obstacles aux vues de Romy. On ne sauve pas une naufragée du temps de Mathusalem sans bousculer quelques cadavres.

— Tu vas t'ennuyer à mourir avec moi à Sainte-Émilie. Tu ne vas pas gâcher ta jeunesse à t'occuper d'une vieille dame…

— Madame Bourgault, permettez-moi de vous inviter à profiter de l'offre de votre petite-fille. Vous venez d'exprimer votre souhait de ne pas vivre seule. Voici une belle solution pour vous. Acceptez-la.

Jeanne serait prête à tout pour déjouer le plan de sauvetage de la famille, pour conserver son rôle de martyre, mais l'ordre du médecin a raison d'elle. Elle abdique.

■

La grande maison plantée sur un rang de campagne paraît délabrée. Le souvenir de Romy en était un de faste, mais la demeure est de plus en plus laissée à l'abandon. Jeanne n'a rien changé à la décoration depuis des décennies, mais l'âme autrefois si lumineuse des lieux est aujourd'hui trouée d'ombre et d'ennui, à tel point que la jeune femme les reconnaît à peine.

Depuis la mort du patriarche, tout semble ici caduc, frappé d'obsolescence. La veuve se rejoue chaque année la mort de son mari en un requiem larmoyant et on dirait que les murs pleurent aussi.

À peine entrée, Jeanne débute sa complainte. Elle prétend ne pas avoir la force d'accueillir dignement sa petite-fille et affiche un air de souffre-douleur. Romy reste calme et devine le piège qu'on lui tend. Elle sait que, pour déjouer les ruses de la renarde, il lui faut abolir les rituels. S'il se trouve encore chez elle une parcelle d'espoir, un embryon de vie loin du drame qu'elle se répète, année après année, Romy le trouvera loin des sentiers familiers sur lesquels Jeanne se bat.

— C'est moi qui vais m'occuper de toi, grand-mère. Tu te reposes et tu me laisses faire.

La tâche est beaucoup plus grande que ne l'aurait imaginé Romy. Jeanne contrôle la maisonnée d'une main de fer et ne laisse pas n'importe quelle patte s'y frotter. Dès que Romy entreprend de faire la cuisine, la grand-mère flaire les lieux, prédisant la catastrophe, comme si l'idée de l'échec la rassurait. Si Romy fait trop cuire le rôti ou commet la moindre erreur dans la tenue la maison, Jeanne sort victorieuse. Le malheur annoncé, une fois confirmé, renforce son sentiment de gâchis permanent. Celui qu'elle prétend inévitable. Romy mesure alors l'ampleur de sa gageure : la tragédienne est bien armée.

Les journées avec Jeanne s'ouvrent pourtant sur des notes d'espoir. Romy l'emmène marcher sur les routes et les sentiers des bois avoisinants et le grand air balaie la grisaille intérieure, mais dès qu'elle réintègre la maison, Jeanne retrouve sa posture de persécutée, comme une bête dans son enclos. Elle se plaint d'être un fardeau pour tout le monde, que personne ne l'aime, mais ne sait pas être autrement que dominatrice, devenant ce qu'elle redoute d'être, de la même manière que sa fille l'imite dans ses plus détestables mimiques quand elle veut s'en distinguer.

Jeanne est captive des seules danses qu'elle connaît, mais Romy la soupçonne d'avoir déjà été autrement.

Derrière ses masques de vieille aigrie luit parfois une douce et timide lumière. Romy cherche à la rallumer. Elle questionne sa grand-mère sur son enfance, sa jeunesse.

Jeanne a grandi dans une famille instruite et conservatrice. Sa mère était pieuse et son père peu bavard, presque absent. L'ambiance était austère, mais Jeanne y trouvait un certain réconfort.

— Je jouais avec mes poupées en cachette entre les devoirs, les prières et les leçons de piano. On vivait tout en secret, ma sœur et moi, parce que nos parents ne nous permettaient pas d'afficher notre plaisir.

Une petite fille modèle qui a dissimulé ses désirs et épousé un homme ambitieux, dont l'immense appétit de vivre aurait avalé le sien ? Romy médite sur le cas de sa grand-mère sans trouver de réponse à son profond malheur, mais surtout, aux attaques perpétrées contre ses filles comme si elles étaient ses pires ennemies.

Pendant ce temps, les trous noirs se multiplient durant les soirées passées près du feu. Jeanne boit et répète inlassablement les mêmes plaintes. Elle arbore l'ennui et le désarroi comme une fierté. Jamais elle n'avouerait son bonheur d'avoir sa petite-fille auprès d'elle, mais Romy surprend de courtes embellies dans l'œil de Jeanne quand elle lui parle de ses projets, de ses études, de ses amours. Éclaircies aussitôt refermées sous sa chape de martyre. Jeanne noie les rêves d'avenir de sa petite-fille en avalant ses comprimés avec un dernier scotch.

La nuit, Romy ne dort pas. Elle veille comme une mère sur son aïeule, craignant qu'elle ne passe l'arme à gauche avec ses dangereux mélanges, se faisant une mission de ranimer la lumière sur le visage fantomatique et crispé. Elle parcourt les pièces vides à la recherche d'un sommeil qui ne vient pas, cherchant elle ne sait quoi entre les rayons de lune zébrant les murs.

Puis soudain elle le voit. Là, dans un coin, oublié, remisé, couché sur son flanc comme un cheval mort. Romy pousse les lampes et les bibelots qui encombrent le meuble et souffle la poussière sur son dos. Elle ouvre la grande gueule et pose ses doigts inexpérimentés sur les touches usées. Elle sent frémir le piano, le territoire de sa grand-mère abandonné à l'oubli.

Le lendemain, la petite-fille tâte le terrain subtilement, mais Jeanne est catégorique : elle ne joue plus de piano depuis quarante ans. Elle ne sait plus. Les prières de Romy tombent dans le vide des yeux de sa grand-mère dont le manège ne se laisse toujours pas démonter.

■

Au lendemain de sa trouvaille, Romy découvre pourtant une Jeanne moins fermée. Un brin de douceur colmate les brèches dans sa voix et, entre deux bouchées du couscous que sa petite-fille lui a cuisiné, elle raconte sa rencontre avec Louis.

— Il étudiait à l'École d'ingénierie et moi, au Conservatoire. On n'aurait jamais dû se croiser, mais la proximité de nos écoles nous a rapprochés. Louis s'est mis à suivre mes allées et venues, m'espionnant depuis ses salles de classes dont les fenêtres donnaient sur notre porte d'entrée, jusqu'au jour où il m'a invitée à boire un verre avec lui. J'avais seize ans et je n'avais jamais été avec aucun homme. Le piano était ma vie. Louis avait un bel avenir devant lui et, à l'époque, l'avenir de l'homme suffisait à la femme. En plus, il était terriblement beau. Ma vie a commencé avec lui.

— Pourquoi as-tu laissé le piano ?

— Je n'allais pas faire une carrière de pianiste et fonder une famille ! En ce temps-là, les femmes devaient choisir, ma chérie… On ne pouvait pas tout avoir. D'ailleurs, tout avoir, regarde ce que ça donne : tu as trente-six ans et toujours pas d'enfant.

Romy ravale ses répliques. Elle est trop absorbée par sa découverte. Le faciès de sa grand-mère vient de se déformer. Ses yeux doux-meurtriers se sont rallumés comme deux feux antiques.

— Moi, je crois que tu devrais te remettre au piano, grand-mère. Louis est mort il y a presque quinze ans maintenant. Il est temps que tu occupes ta vie de veuve.

Jeanne ne sourit pas, ne rétorque rien. Elle se referme sur sa colère comme une louve protectrice sur sa portée. Romy est fatiguée. L'amertume des vieux ne se guérit peut-être plus, passé un certain point. Les trop vieilles rancunes les enferment à jamais dans les cages où elles sont nées.

Les jours passent et l'espoir de Romy de ressusciter sa grand-mère s'étiole. Pire encore, elle se sent de trop dans sa maison. Jeanne montre des signes d'agacement envers sa petite-fille et finit par lui avouer qu'elle préférerait être seule. Romy décide donc de quitter l'endroit, rendant sa grand-mère à sa solitude, mais au moment de passer la porte, elle subit un assaut inattendu.

— J'espère que la prochaine fois que tu viendras me voir, tu seras enfin casée avec quelqu'un !

Romy essuie l'attaque de sa grand-mère comme un ultime désaveu de tout ce qu'elle a fait pour elle. Elle aimerait lui crier combien sa liberté goûte parfois si bon, combien elle plaint les femmes qui cherchent à devenir des épouses avant d'être des femmes, mais elle retient ses mots. Sur le visage crispé de Jeanne, elle aperçoit alors la ressemblance maudite avec sa fille, le goût de la mort collé à sa gorge depuis des décennies et donné en héritage. Romy devine alors la faiblesse de l'assaillante.

— Tu ressembles tellement à ma mère quand tu fais cette tête de frustrée ! Vous êtes vraiment pareilles, maman et toi. Même sang de vache enragée !

Jeanne se raidit. La renarde est touchée droit au cœur. La fierté vient de raviver ses yeux maléfiques.

— Ta mère et moi, on ne se ressemble pas du tout !

— Ah bon ? Eh bien, quand vous êtes fâchées contre moi, vous vous ressemblez à s'y méprendre. Mais qu'est-ce qui te différencie tant que ça de maman ?

Jeanne paraît fouiller très loin. Elle prend la question au sérieux. Puis, après quelques secondes de réflexion, son regard s'ouvre, lumineux, dégagé de toute trace de fiel.

— Ta mère a un esprit cartésien. Moi, j'ai toujours eu l'âme d'une artiste.

— J'aurais aimé la connaître, cette Jeanne-là.

■

De retour chez elle, Romy se tourne et se retourne dans son lit sans trouver le repos. Le nouveau visage que Jeanne lui a dévoilé lors de son départ hante son esprit. D'où venait cette grâce plus forte que la colère ?

Il est près de 1 h du matin, une nuit, quand l'idée surgit comme une évidence. Romy se lève et s'habille en vitesse. Il faut normalement une heure et demie pour faire la route de Montréal à Sainte-Émilie, mais Romy franchit la distance en à peine plus d'une heure. Elle stationne la voiture à quelques dizaines de mètres de la maison et aperçoit tout de suite la lumière à l'étage. Se peut-il qu'elle ait raison ?

En pénétrant dans l'entrée, tout doucement, Romy l'entend. Immobile, heureuse, elle affiche un sourire de vainqueur à l'écoute de la musique. Jeanne avait besoin d'être seule pour retoucher à l'instrument. Romy monte à l'étage et sans faire de bruit, épie sa grand-mère.

Ses mains dansent, fébriles et aériennes, sur les touches. Romy jure qu'elles viennent de lui rendre ses vingt ans. Son visage, d'une douceur ingénue, semble respirer la musique comme le souffle d'une vie nouvelle. À travers la *Grande valse* de Chopin, Jeanne retrouve l'époque où tout était encore possible, l'époque où elle rêvait sa vie en cachette, à l'âge où on s'invente des amours, un métier, une vie qui nous ressemble. Tous ces possibles refermés avec le couvercle du piano comme celui d'un cercueil. Tous ces mondes tapis en elle renaissent après un demi-siècle d'hivernation.

Jeanne a été une autre femme et le monde en devenir était contenu dans ses mains, remisées pour entretenir les rêves des autres. La faute impardonnable, la rancune amère, le jeu de pitié ne s'adressaient donc qu'à elle : à la femme emprisonnée avec l'instrument de musique.

Le piano efface les quatre-vingt-deux ans de Jeanne. Dans ses yeux, il n'y a plus rien des airs de ses filles ni des guerres de sa vie adulte. Elle a dix-huit ans et un avenir à écrire. Romy se retire.

Sur la route du retour, la petite-fille affiche un sourire fier. Ce n'est pas tous les jours qu'on sort une artiste de sa prison ! Dans le miroir, ce soir-là, Romy observe minutieusement ses traits à la recherche des signes de ressemblance avec sa génitrice. Il faudra rester aux aguets pour que jamais ne s'éveillent ces yeux meurtriers transmis de mère en fille. Pour que jamais ne s'encage la bête avec ses rêves de jeune fille.

Le trompe-l'œil d'Eugénie

Paul avait toujours pensé qu'Eugénie choisissait mieux que lui, d'instinct, les bons gestes à faire. C'était peut-être parce qu'elle avait quitté la France. Elle avait divorcé de son pays natal et ce geste lui paraissait en être un d'importance, décisif, médité, lourd de conséquences. Pourtant, Eugénie n'était pas du genre méditatif. Ses gestes venaient seuls, sans planification, sans arrière-pensée. C'était exactement ça : Eugénie n'était dotée d'aucune arrière-pensée. Chaque mot et chaque geste naissait comme le premier. Tout était nouveauté. Pour une fille venue du Vieux Continent, d'un pays à l'histoire si ancienne, c'était étonnant.

Chez Eugénie, la pensée allait devant, jamais derrière. Paul avait découvert ce penchant lors de leur rencontre, quand il lui avait demandé d'où elle venait précisément en France et pourquoi elle avait décidé de s'installer au Québec. La lumière s'était aussitôt retirée de ses prunelles sombres. « De Bourgogne », avait-elle répondu d'une voix absente, avec une pointe effrontée, tuant d'un coup de frein le commerce. En une phrase s'était dissoute la complicité établie entre eux quelques minutes plus tôt, quand il lui avait offert de brûler la sambuca dans sa bouche.

Eugénie s'était empressée de resservir deux shooters de sa bouteille en le priant de leur allumer la gueule comme des cracheurs de feu. Paul avait posé son pouce sur le briquet et avait attendu, regardant Eugénie verser sa tête en arrière et tourner l'œil vers lui, jouissant de cette minute suspendue où une jolie Française l'attendait, les lèvres fendues vers le ciel. Il remercia Luigi de lui avoir montré ce truc et bouta le feu à la bouche d'Eugénie, puis à la sienne, avalant en synchronisme le liquide brûlant et sucré. La lampée avait fait éclater le rire musical d'Eugénie. Paul avait cherché à quoi ce rire familier lui faisait penser, sans y parvenir.

Eugénie s'était ensuite tournée vers son amie, une grande blonde calme et posée, trop maigre et trop droite, l'air sage aux côtés de cette copine d'une sensualité païenne et sans la moindre trace d'un complexe, lancée en gestes libres. Paul avait tout de suite remarqué en entrant dans le bar ses mouvements de bras indociles, ballant comme des oiseaux sauvages. Il décelait quelque chose de masculin dans la posture dégagée et cavalière de cette femme à la dégaine impériale, sans égard aux dégâts que son corps débridé pouvait provoquer, puis se trouvait vieux jeu d'attribuer ce caractère à l'homme plus qu'à la femme. Il n'avait du reste jamais senti chez lui un tel besoin de régner.

Quand il aimait une fille, Paul ne pouvait généralement pas la posséder. Ça lui paraissait être une contradiction. Les femmes qu'il aimait étaient ses amies et il prenait pour maîtresses des filles frivoles qui ne l'atteignaient pas au cœur. Il avait l'impression d'agir ainsi par respect pour les femmes, en préservant l'amour qu'il leur vouait de la consommation, mais sentait, au fond, que son raisonnement était bancal.

Paul n'avait pas su à quelle catégorie appartiendrait Eugénie. Son intelligence vive et son regard ouvert lui faisaient croire qu'elle allait se ranger parmi les amies. Mais la chaloupe de son corps musclé, tout en voluptés, l'impudeur de son rire familier et les envolées de son œil de chasseresse ressemblaient au vin qu'il aimait boire avec ses maîtresses. Pour une rare fois, le désir s'était clairement manifesté en lui en face d'une fille avec qui il avait envie de parler. Une évidence brouillant sa classification amoureuse.

Après avoir été secouée par son rire de carnaval, Eugénie lui avait demandé où il avait appris à allumer la bouche des filles, posant ses hanches généreuses sur le côté du comptoir, creusant la courbe de sa taille et faisant saillir un bassin invitant à l'abordage. La proximité dangereuse de sa cuisse avait fait ramollir les jambes de Paul. Il tremblait devant les lèvres brûlantes d'Eugénie à sa portée, tendues comme un fruit mûr déjà en route vers la main qui le cueille. Il avait eu peur de gâcher le moment, peur de se perdre dans le fouillis de ces courbes libres. C'est là, après avoir répondu bêtement

« C'est mon ami Luigi qui me l'a appris », qu'il avait posé la question à propos de ses origines et de son exil, remontant parfaitement à la surface des choses après qu'elle lui eut ouvert les profondeurs de son temple.

La suite, il n'aimait pas se la rappeler. Le soleil de ses yeux noirs s'était couché. Eugénie avait fini la soirée avec Jérôme, un homme marié, soûl comme une botte et qui n'avait pas hésité un instant à s'emparer de la bouche d'Eugénie. Une aventure qui n'avait pas laissé de traces dans sa vie à elle, mais qui avait marqué celle de Paul.

Quelques semaines plus tard, Paul avait retrouvé Eugénie. Elle avait accepté son invitation au restaurant, avait bu, mangé, ri et terminé la nuit avec lui sans cérémonie et sans question. Lui s'était envoyé deux vodkas avant de la retrouver, pour se donner du cran et ne pas la laisser filer encore une fois. Eugénie et Paul s'étaient fréquentés pendant quelques semaines, mais la magie de la première apparition s'était envolée. La facilité avec laquelle Eugénie avait atterri dans les bras de Paul lui paraissait suspecte, comme toute chose trop aisément acquise.

Paul gardait l'impression qu'au jour de leur rencontre, il n'avait pas su faire le bon geste, celui qui aurait attaché la femme à lui avec sincérité. La joie d'Eugénie était fondée sur un malentendu, pensait-il, parce qu'il n'allumait pas spontanément les bouches des filles. Il l'avait laissée filer dans les bras d'un homme marié et se croyait en partie coupable de l'adultère. C'était exclure la possibilité qu'Eugénie n'avait pas agi en conséquence des actes de Paul, mais tout simplement parce que l'ennui d'une question pouvait la faire changer d'avis comme de pays.

Paul avait essayé d'expliquer à Eugénie leur mauvais départ et cette façon qu'il avait eue de jouer à ce qu'il n'était pas, mais elle avait ri et refermé la porte de ses hanches d'un claquement de talons, dirigeant son regard vers la fenêtre comme pour échapper à la lourde confidence. Elle avait déjà rompu leur jeune alliance. Avec son air hautain et ses bras dansants, elle était partie, laissant Paul seul avec son imposture.

Les mois avaient distillé la peine de Paul qui avait cherché longtemps pourquoi il n'avait pas su retenir Eugénie, laquelle se souvenait à peine de l'allumeur de bouches, son cœur envolé déjà loin. Il avait trouvé à quoi son rire lui faisait penser. C'était le rire en cascade des enfants moqueurs. La musique légère de la désaffection.

Ce chant-là, envoûtant comme le ressac de la mer, Paul n'avait plus jamais cherché à le suivre. Il savait trop le vide qu'il creusait à sa suite. Paul aimerait désormais les créatures solaires de loin. Il avait touché au feu ardent d'Eugénie en croyant grandir avec lui, mais s'était senti rapetisser à ses côtés, pâlir et devenir étranger à lui-même.

Il lui avait fallu s'éloigner des yeux d'Eugénie, trompeurs amis d'un homme qu'il n'était pas. Il était retourné vers sa petite lumière, sans éclat, diraient certains, mais qui ne rend pas aveugle.

L'enfant de la guerre

> On construit sa vie pour une personne et quand enfin on peut l'y recevoir, cette personne ne vient pas, puis meurt pour nous et on vit prisonnier, dans ce qui n'était destiné qu'à elle.
>
> MARCEL PROUST, *À l'ombre des jeunes filles en fleurs*

Laurence est la dernière-née d'une famille raboteuse. Elle n'a aucun souvenir de gâteaux briochés partagés le dimanche ni de la douceur d'une peluche préférée. Dans la maison, les mots des uns heurtaient ceux des autres et se faisaient des jambettes. Son frère Gabriel criait des injures pour enterrer la colère quotidienne du père, pendant que sa sœur aînée livrait des sermons d'une perverse violence. Par des attaques sournoises, elle élevait un camp contre l'autre, fidèle au célèbre principe encourageant à diviser pour mieux régner. La mère ajoutait à l'anarchie générale ses infinies bouderies et ses larmes de crocodile. Il n'y avait jamais rien de coulant dans les échanges de la famille Brabant. Dès qu'un mot glissait trop facilement dans la conversation, on levait le sourcil, sceptique, et on ouvrait l'enquête. La joie était toujours la première suspectée de trahison. Chaque jour avait son procès.

La guerre domestique favorise le développement de compétences martiales, et la benjamine, arrivée au bout de la chaîne, était née en petite soldate, les poches pleines de munitions. À l'école, Laurence était celle qu'on craignait, qui savait toujours répondre à l'insulte et gratter le bobo de l'adversaire. Avec son nez de détective, elle pistait la faiblesse de l'autre, reconnaissant les siennes, si souvent exploitées, et ne lâchait jamais prise. Elle traquait, saignait et dépeçait jusqu'à l'os.

Laurence n'en croyait pas moins aider les gens. Elle-même consacrait sa vie à faire disparaître ses impuretés, ces taches que le frère, la sœur, le père et la mère avaient si souvent pointées du doigt qu'elles s'étaient mises à prendre toute la place. Laurence voulait effacer les déchirures et lécher les plaies jusqu'à les rendre invisibles. Faire disparaître les traces de son malheur.

Quand elle tomba amoureuse pour la première fois, elle trouva du coup la toile parfaite pour accomplir ce qu'elle savait faire de mieux : raboter. Elle avait trouvé un chanteur de *rock garage* les bras bien accrochés à ses *fix*. Le champ miné de ce petit gars de la Beauce était un terrain idéal pour tester la force de polissage de la guerrière, nourrie aux collisions.

Laurence tira longtemps sur les membres de Joe et avec suffisamment de volonté pour les arracher à leur source, mais ils ne furent jamais assez lisses pour lui redonner confiance en l'amour. Criblés de trous, les bras de Joe n'étaient pas à la hauteur de ses rêves de corps polis comme la pierre lustrée par l'eau. Laurence voulait fonder un foyer où les mots voleraient sur le dos des autres sans jamais se poser. Une maison sans épine, enfouie sous un lac gelé.

À trente ans, Laurence connut un homme doux après avoir raboté une dizaine d'accidentés: dopés, enfants mal-aimés, maniacodépressifs et autres écorchés. Samuel n'avait rien des guerriers de son enfance. D'une constance infaillible, il ne se disputait jamais avec sa famille, ne levait jamais le ton, naviguait dans la vie loin des tempêtes. Or Laurence soupçonnait la bonne humeur et le tempérament impassible de Samuel d'être une planque à squelettes. Comment pourrait-elle faire des enfants avec un homme qui entretenait d'excellents rapports avec ses parents et des amitiés sans orages? Un jour ou l'autre, les fantômes allaient surgir. Laurence ne pouvait voir Samuel sans imaginer l'invasion de zombies, le gâchis du bonheur au soir où les secrets remonteraient à la surface. Laurence avait-elle quitté Samuel par prévention? Ses amies ne savaient quoi penser sinon qu'elle était trop étrangère aux terres de paix pour les habiter.

Les amies de Laurence ont des enfants, des familles tantôt défaites, tantôt recomposées, bâties dans la matière friable de la vie. Elle regarde sans jalousie ces constructions branlantes, consciente du danger qui guette leurs possesseurs. Elle plaint les ménages imparfaits des autres, creuse des tombes sur les sols d'argile de ses amis et prédit les carnages. Il n'y aura pas de sang dans sa maison. Toutes ses blessures seront refermées le jour où elle aura des enfants.

Laurence fêtera ses quarante ans demain. Elle a dit « non » à Tom. Après deux ans de fréquentations, elle ne veut pas d'enfant avec son compagnon de lit. Son amant n'a pas la confiance qui assurerait la sienne et ferait disparaître ces tribunaux auxquels elle convie tout le monde, bon an, mal an. Laurence sort toujours victorieuse de ses petites guerres quotidiennes, mais fait tomber au combat tous ceux avec qui elle pourrait construire cette maison lisse comme une peau de nouveau-né à laquelle elle rêve et qui effacerait les anfractuosités de celle où elle a grandi. Laurence aime celui qui chassera tous les autres, qui rapiécera les pots cassés de son enfance.

Pour ses cinquante ans, Laurence a invité quelques amis dans la belle maison qu'elle a fait bâtir dans le quartier chic de la ville. Avec ses murs d'un blanc immaculé et son décor minimaliste, il y règne une sereine tranquillité, l'air qu'on y respire est pur. Mais la maison de Laurence est creuse. À la table, pas de cris ni de larmes, pas non plus de famille lisse comme la robe d'un lac gelé. Aucune chanson douce n'a remplacé la voix martiale de Laurence. Elle continue à gratter ses plaies et celles des autres, parce que c'est tout ce qu'elle connaît de l'amour.

L'enfant s'est endormie dans la guerre et ne s'est jamais réveillée.

Loin de la république des fantômes

> Plus j'ai vu le monde, moins j'ai pu me faire à son ton.
>
> JEAN-JACQUES ROUSSEAU, *Les confessions*

Du plus loin que je me souvienne, je me suis toujours assis à la table de mon père avec le sentiment que quelqu'un d'autre aurait dû y être à ma place. Enfant, j'imaginais un petit garçon turbulent et libre qui racontait ses exploits sportifs en cherchant l'admiration paternelle. Il me semblait que c'était avec lui qu'il aurait voulu dialoguer, or j'avais beau rêver de ces échanges virils et désinvoltes entre mon père et moi, la vérité, c'est que j'étais timide, sensible et rêveur, et que rien de mon tempérament ne me rapprochait de lui.

Je n'aimais pas les sports, et puis je n'éprouvais pas le besoin de recueillir l'adhésion des autres. J'aimais qu'on me laisse penser et mûrir en paix, sans exiger de moi quelque compte que ce soit quant à mes ambitions ou à mon avenir. Je voulais la tranquillité, au présent.

Seule ma mère comprenait sans qu'il soit nécessaire de lui expliquer ce besoin que j'avais de vivre sans être ramené aux rangs et aux horloges.

Mes deux sœurs occupaient l'avant-scène des repas, bavardes, blagueuses et démonstratives. Elles n'avaient pas de jardin secret et n'existaient qu'à l'extérieur, confiant leurs états d'âme et leurs inquiétudes sans jamais les goûter d'abord en elles-mêmes, là où les choses me semblaient justement tellement plus riches et précieuses, avant de se voir réduites par la verbalisation. Mon père et moi faisions contrepoids au duo vocal des dames en étant la majeure partie du temps muets, en retrait de l'espace habité par les femmes que je me représentais comme celui de la société et que je croyais depuis mon jeune âge dominée et maîtrisée par elles. Le silence appartenait aux hommes, mais ne nous rapprochait pas pour autant.

Assis l'un en face de l'autre, mon père et moi aurions pu être complices du mystère, interlocuteurs secrets ou frères de l'ombre, mais nous n'habitions pas le même silence. Lui se taisait parce que rien ne devait être dit tant qu'un événement important n'y était pas directement lié, alors que je ne parlais pas parce que trop de mots, d'idées et de sentiments se bousculaient dans ma tête et changeaient de direction à chaque instant pour que j'y interpose ma parole, que je réservais à quelques apparitions longuement méditées. Il en était de même pour mes actions, accomplies au terme d'examens consciencieux.

Mon père et moi représentions la symétrie des contraires. Chaque fois que j'essayais de le rejoindre, de partager une opinion ou une émotion avec lui ou de me rallier à sa vision du monde, je m'en éloignais. Comme une planète en orbite autour d'un autre soleil, sa trajectoire ne pouvait croiser la mienne. J'ai pensé qu'il fallait accepter cet écart sans chercher à nous faire dévier l'un vers l'autre, mais en vieillissant, je devais admettre qu'il m'était difficile de me développer à l'ombre de mon père. Comment se définir quand on vient de ce qui ne nous ressemble pas, de ce qui nous contredit, s'oppose à nous ?

Mon père ne connaissait pas la patience. Il l'associait au flegme et croyait que les malheurs n'arrivaient qu'à ceux qui leur donnaient le temps de frapper. C'est pourquoi il était toujours pressé d'imposer au monde son rythme à lui. Tout devait se révéler et se conclure dans le même temps, ce qui me donnait à penser qu'il aurait aussi bien pu mourir en naissant et y trouver une sorte d'ultime contentement. En autant que les choses touchaient à leur but, il s'en trouvait satisfait. Pour le professeur de sport qu'il était, l'impératif d'efficacité s'imposait comme le seul valable. Son esprit cartésien refusait toute question flottante, toute pensée qui n'entrait pas dans un système. Ainsi, il se trouvait souvent à résoudre les problèmes que tant d'autres laissaient inutilement en suspens.

Très tôt, mon père avait essayé de me transmettre l'ambition en m'inculquant les principes de la réussite telle qu'il la concevait, mais déjà je ne croyais qu'au désir. La fortune qu'il me promettait concernait les autres. Remporter un concours d'athlétisme ne me disait rien, par exemple. Strictement rien. Cela faisait de moi un enfant peu actif, c'est-à-dire que je ne bougeais pas beaucoup mon corps, mais personne ne soupçonnait l'ampleur des mouvements effectués par mon esprit, qui ne tenait pas en place.

— Ce garçon va devenir obèse ou déficient, si on ne le fait pas bouger.

— Laisse-le tranquille, tu vois bien qu'il n'est pas sportif. C'est un intellectuel.

— Les idées ne peuvent circuler librement dans un corps fixe. C'est en marchant que la pensée de Rousseau, de Nietzsche et de Thoreau a prospéré. Montaigne dit que son « esprit ne va si les jambes ne l'agitent ». L'immobilité de cet enfant va l'appauvrir.

Mon père était persuadé que l'absence de mouvement physique créait chez l'homme une accumulation de mauvais sang abaissant son quotient intellectuel, mais aussi ses chances de réussite et d'enrichissement. Il avait lu les philosophes précisément pour affermir cet argumentaire. Pour cette raison, il courait tous les jours une heure depuis ses quatorze ans et passait cinq heures par semaine au gym à faire fructifier ses neurones par la liquéfaction de ses graisses.

Dès que j'atteignis l'âge de m'entraîner, je fus forcé d'essayer ce régime militaire qui me rendit malade après un mois. J'étais physiquement épuisé mais surtout moralement déprimé, au point où ma mère me fit consulter un psychologue qui conseilla à mes parents de ralentir ce programme d'exercices au risque de me retrouver en dépression. Le régime de mon père m'était aussi nocif qu'il lui était salutaire.

Moi, j'aimais marcher, mais pas de la manière dont mon père me l'enseignait, avec un équipement de course et à une allure de forcené. J'avais en affection le flânage. M'attarder et me promener dans les parcs ou, encore mieux, dans les forêts, que je visitais rarement, me comblait de joie. Sinon, je me contentais de la piscine où je faisais, l'été, deux ou trois longueurs avant de m'endormir au soleil dans le plus pur des bonheurs. L'oisiveté que plusieurs redoutent, mais qu'ils ont pourtant tous goûté à l'âge qui le permet, m'était souvent accolée comme une tare, alors que je ne connaissais personne qui ne regrettait pas ce temps de liberté où les longues journées s'égrenaient lentement au rythme des jeux d'enfants. De plus, je ne voyais pas en quoi je devais absolument occuper mes journées par les activités qui remplissaient généralement celles des autres.

Mes occupations étaient pénétrantes et douces, mais dès lors qu'elles n'étaient pas lucratives, on me reprochait ma paresse, m'accusait d'inutilité et de non-productivité. Le problème était là. Toutes les activités qui impliquaient de l'argent m'avaient jusqu'à maintenant conduit à l'ennui et à un profond sentiment de perte. N'était-ce pas ça, au fond, la véritable oisiveté ? Dans des actions accomplies contre notre gré, nous vidant de notre substance, de notre raison d'être, nous amenant vers des rivages puérils où le simple fait d'accomplir et d'amasser devait nous mener au bonheur ?

J'avais exercé quelques métiers et le verdict était toujours le même : mon sentiment d'impuissance et d'inutilité se trouvait aggravé par des tâches rémunérées et imposées par d'autres. Je préférais encore être sans le sou que dépouillé de mon âme ou dirigé par des motivations étrangères aux miennes.

■

Depuis que j'avais terminé mes études et que je vivais seul en appartement, mes parents avaient cessé de m'aider financièrement et j'étais malheureusement contraint, comme le commun des mortels, de gagner de l'argent pour manger. J'avais travaillé dans un centre d'appels et vomi le milieu des télécommunications d'où j'avais été banni, parce qu'en plus de ne réussir aucun de ces appels dont je ne saisis toujours pas l'intention, j'avais osé dire au patron de l'entreprise que l'emploi était abrutissant et dangereux pour l'avenir de l'humanité.

Je travaillai quatre mois au bureau municipal de mon arrondissement, pensant que le contact humain et les actions concrètes pour améliorer la vie de mon quartier me seraient plus profitables. Je partageais malheureusement mon bureau avec un misanthrope au caractère usé par une vie merdique, qui prenait chaque visiteur qui entrait dans nos locaux pour un profiteur ou un agresseur potentiel.

La dame qui venait chercher son bac à recyclage se faisait envoyer un formulaire au visage, ce qui était un moindre mal par rapport à celui qui venait pour réserver un espace de stationnement pour son déménagement et qui se retrouvait embourbé dans une interminable suite de procédures, que mon collègue prenait la peine de rendre la plus laborieuse possible afin de décourager le citoyen d'utiliser les services de la Ville. Bref, l'employé sabotait ce qu'il était payé pour faire par un esprit de vengeance dirigé vers le genre humain tout entier. Quant à moi, j'étais chargé de classer des dossiers et de répondre aux plaintes par téléphone, les tâches ingrates réservées aux nouveaux qui me firent haïr le travail municipal avec presque plus d'ardeur que celui des télécommunications.

Avec mon diplôme universitaire en littérature française, je devais pouvoir trouver quelque chose de plus stimulant, mais je n'avais encore déniché aucune activité professionnelle à la mesure de mes désirs ou à laquelle je pensais pouvoir me dévouer avec assez de volonté. Je ne me croyais pas doué pour l'enseignement, ayant toujours détesté l'école et étant de nature timide, malade devant un public. Après de longues tractations avec moi-même et aussi grâce aux contacts de mon père, j'en étais arrivé à me faire engager dans une maison d'édition comme assistant à la direction littéraire, poste enviable duquel je devais me réjouir, mais je n'étais pas sûr d'être la bonne personne.

Le directeur de la maison, Jozanek Dvorak, était un Tchèque émigré au Québec dans les années soixante-dix avec qui mon père avait joué au football durant leurs années d'université. Lors de mon entrevue, l'évocation de ma passion pour les littératures allemandes l'avait vraisemblablement fait pencher en ma faveur. Cette affinité de goût et de pensée aurait dû me rassurer, mais je n'avais lu pratiquement aucun auteur contemporain et je me doutais bien qu'on ne publierait pas des auteurs morts. C'était pourtant eux qui me passionnaient.

J'entrai donc aux Éditions du Ciel un lundi matin de septembre, habité du sentiment de l'imposteur. La maison était plus grande que je ne le croyais. Plusieurs petits éditeurs avaient été rachetés pour former un groupe plus compétitif sur le marché, m'expliqua Mme Samson, la gentille secrétaire de M. Dvorak, plus éblouissante qu'un soleil de Cancún. Il devait y avoir une bonne trentaine de personnes dans les bureaux, mais quand je jetai un coup d'œil à l'organigramme que me fournit Mme Samson, je compris rapidement que seulement trois ou quatre d'entre elles travaillaient aux textes. Il y avait cinq secrétaires qui se chargeaient des calendriers, des rendez-vous, des réunions, de la réception des manuscrits et de la bureaucratie, deux personnes en charge du site Internet, trois attachées de presse affiliées au directeur des communications, un directeur du marketing et ses quatre associés, un planificateur financier, une trésorière, trois graphistes et venaient ensuite le correcteur, le réviseur et, finalement, le directeur littéraire et ses deux assistants chargés de lire les manuscrits. À cette équipe se greffaient également des comités de lecteurs qui se partageaient les manuscrits avec nous, mais ne travaillaient pas dans nos locaux, où l'activité principale gravitait autour de l'objet livre. Derrière lui, loin derrière, planait le fantôme de la littérature.

Madame Samson me fit ensuite visiter les bureaux avant de m'amener jusqu'à celui de M. Dvorak.

— Pour commencer, me dit-il aussitôt après les salutations d'usage, je vous propose de parcourir notre catalogue, histoire de vous familiariser avec nos produits.

Je fus surpris de l'utilisation du mot « produits » pour désigner les livres qu'il publiait, mais je m'installai sans trop m'en formaliser dans la petite pièce attenante au bureau du directeur, qui m'indiqua un fauteuil et me tendit le catalogue en question. Je découvris que la littérature occupait un espace assez restreint aux côtés des livres pratiques : guides de voyages, livres de cuisine, outils grammaticaux, livres pour enfants et biographies, surtout consacrées à des vedettes du spectacle qui ne me disaient strictement rien, formaient la majeure partie de l'inventaire. Je m'intéressai plus longuement à la section littéraire, gêné de me rendre compte que tous les auteurs publiés m'étaient inconnus sauf un, que je reconnaissais pour l'avoir aperçu dans les journaux, en lien avec un scandale sexuel.

Je fus obligé d'avouer à M. Dvorak que je n'avais lu aucun des ouvrages publiés par son groupe éditorial.

— Au moins, vous êtes honnête ! Je vous donne pour devoir de lire nos trois derniers titres, entre vos lectures des nouveaux manuscrits.

J'acceptai l'entente et accompagnai mon directeur à une réunion de planification. Nous étions une dizaine autour d'une longue table où des documents avaient été déposés devant chaque chaise. Une femme prit la parole et se mit à nous en lire le contenu de long en large, ce qui dut prendre presque deux heures. On y détaillait des calendriers, des dates de parution et des descriptifs de communiqués de presse. Pendant tout ce temps, je me demandais, alors que personne d'autre ne prenait la parole, pourquoi il fallait que quelqu'un nous lise à voix haute et devant tout le monde ce que nous aurions pu lire seuls, à un moment opportun ?

Quand notre lectrice arriva à la douzième page du dossier, je conclus que l'exercice visait à s'assurer que chaque employé prendrait connaissance de son contenu. L'employé m'apparut alors comme le descendant direct de l'écolier, pris en charge par des supérieurs dirigeant et encadrant ses actions pour s'assurer qu'il ne s'écarte pas de son devoir. Moi qui avais toujours eu l'école en horreur, j'eus peur de retrouver dans ces bureaux le même étau qui m'avait enserré le crâne durant des années. Mon attention se dissipa dans ces réflexions moroses pendant le reste de la lecture, retrouvant sans le chercher ce vieux réflexe de la pensée fuyant aux abords de l'ennui. Je fus ramené dans la pièce après la vingt-huitième et dernière page, alors que chacun refermait son dossier. Notre lectrice demanda s'il y avait des questions, ce à quoi tout le monde répondit par la négative, chacun se levant et quittant les lieux sans cérémonie.

Vint ensuite l'heure de dîner, puis, à 14 h, M. Dvorak m'invita à assister à une réunion du comité de lecture. Je fus d'abord heureux de me retrouver avec mes semblables, jusqu'à ce que mes yeux se posent sur les deux livres dont nous allions discuter aujourd'hui : *Le porc sous toutes ses coutures*, un livre de recettes déclinant toutes les façons d'apprêter le cochon, et *Raymond Fioran, une vie en dents de scie*, la biographie d'un animateur-vedette de radio dont j'ignorais l'existence.

Les trois lecteurs nous remirent une fiche où ils avaient noté dans une grille d'analyse de courts commentaires sur les ouvrages. Pour le livre de cuisine, les critères concernaient surtout la clarté des recettes et la qualité des images. Pour la biographie, on s'attardait à la qualité de l'écriture, à la fluidité du récit, à la véracité des faits, mais aussi au nombre de personnes connues citées, aux références à des événements réels, aux scènes à caractère violent, sexuel ou sentimental. Ces derniers éléments semblaient être de bonnes garanties de vente.

Après avoir analysé les grilles, le comité jugea que les deux ouvrages passaient le test et seraient publiés.

Monsieur Dvorak annonça aux trois lecteurs les prochains manuscrits qu'ils auraient à lire et nous sortîmes de la salle de réunion. Il était 16 h.

Je me demandais à quoi occuper l'heure suivante quand M. Dvorak me proposa d'assister avec lui à une rencontre avec des libraires, à qui il devait faire un *pitch* pour trois nouveautés qui allaient être mises en vente quelques jours plus tard. Ces libraires, ils étaient quatre, étaient déjà installés dans une petite salle de réunion avec leur carnet de notes.

Monsieur Dvorak me présenta et entreprit son énergique harangue. Je restai bouche bée devant la faconde du directeur qui réussit à parler d'un livre pour enfants de trois à cinq ans, d'un guide des meilleures poutines de la Montérégie et d'un suspens gaspésien où une sirène maléfique ensorcelait les marins, de la même manière qu'il aurait défendu Tolstoï ou Beckett. Sur son front brûlait le feu de la passion des livres, nullement altérée par les contraintes du métier. Il parlait du potentiel de divertissement des sirènes et de la diversité des patates frites québécoises dans un langage soutenu, ponctué d'envolées poétiques, faisant couler le miel de son talent oratoire sans gêne, là où je ne voyais qu'une haute trahison à la littérature.

Ces petits bijoux auraient, certes, un attrait instantané pour le lectorat, mais cela ne leur conférait pas pour autant une valeur artistique. L'âme de la littérature ne se trouvait-elle pas trompée, dénaturée, derrière l'argument commercial ? Un des libraires restait sceptique quant à l'intérêt des lecteurs pour la poutine, abondamment exploité ces dernières années, mais M. Dvorak lui vendit la popularité de l'auteur devenu récemment animateur d'une émission de cuisine à la télévision, ce qui sembla dissiper les doutes du marchand. Je rentrai chez moi avec le sale pressentiment d'être à nouveau tombé là où je ne trouverais pas ma place.

■

Le lendemain, je bénéficiai d'un peu de temps pour commencer la lecture d'un manuscrit. Il s'agissait d'un roman érotique que M. Dvorak avait lu et où il décelait du potentiel, mais il voulait mon avis. Le récit, intitulé simplement *Langue*, suivait l'évolution de la relation entre une étudiante mineure et son professeur de littérature de trente ans son aîné. Le titre jouait évidemment sur le double sens du mot « langue », évoquant à la fois l'organe et le système linguistique. Je trouvai l'histoire rasante et le personnage du professeur, nullement crédible. Les fantasmes de la jeune fille me paraissaient invraisemblables, mais le plus gros écueil concernait la syntaxe. L'auteure ne savait pas écrire.

À cela, M. Dvorak me précisa que c'était un détail, car nous avions un excellent réviseur. Je trouvai étrange qu'on demande à un réviseur d'écrire à la place de l'auteure, mais j'insistai plutôt sur les problèmes de vraisemblance de la relation, ce à quoi mon directeur me répliqua que les succès littéraires des histoires incestueuses étaient immenses, depuis Vladimir Nabokov jusqu'à Philip Roth.

— Les gens aiment les histoires érotiques interdites et amorales. Ça pique leur curiosité. Il suffit de vendre l'image sulfureuse de l'auteure, qui est pas mal jolie en passant, et je suis sûr que cette Lolita moderne se détachera du lot !

Je n'avais pas de difficulté à saisir le plan de M. Dvorak. Cela ressemblait beaucoup aux stratégies de mon père. Tant qu'on arrivait au résultat escompté, dans ce cas-ci vendre le livre, l'affaire était réglée. Encore une fois, je me heurtais à l'impératif d'efficacité, cette mamelle empoisonnée à laquelle tout un chacun buvait en appauvrissant le monde.

— Monsieur Dvorak, dites-moi sincèrement : jugez-vous que ce texte est bon ?

— Littérairement parlant, non, mais il se lira. Mon métier est d'éditer des livres qui se liront.

— Mais pourquoi ne pas faire lire de bons livres ?

— Tu veux dire : des livres que je trouve bons. C'est une façon de voir égoïste et ça ne promet pas que les gens les trouveront bons en retour. Mes goûts de lecteur ne doivent pas interférer avec ceux de l'éditeur, sinon je manque ma cible.

— Vous n'avez pas l'impression de vous écraser devant la masse ? À quoi sert d'éditer de nouveaux livres si c'est pour donner aux lecteurs ce qu'ils connaissent déjà ?

— J'ai pensé, comme toi, quand j'étais jeune, qu'on pouvait élever l'humanité en lui offrant d'entrer dans des profondeurs inconnues, mais le métier m'a appris que l'homme recherche les nourritures qu'il connaît. Il aime suivre des chemins tracés, pas ceux qui le font dévier et se perdre là où le premier venu veut l'emmener. Le lecteur aime sentir qu'il est le maître à bord et, pour ça, il faut lui donner des textes dont il possède déjà les clés.

Je me tus, démoralisé par le discours de mon patron et incapable de me figurer qu'il défendait réellement la prévisibilité des livres alors que je les aimais pour les raisons contraires. J'étais né sans points de repère sur une route où rien ne me rappelait à moi. La littérature avait été mon premier allié dans la solitude, la preuve que marcher seul pouvait m'accorder avec le monde, un autre monde que celui auquel me préparait mon père, un monde où le corps et les mots ne s'alignaient pas vers l'avenir, mais dansaient avec moi sur la page en arrêtant la fuite du temps. Comment pouvais-je ramener la littérature à un consensus ralliant les masses sur un chemin tracé d'avance ?

Je passai la nuit à ruminer ma nouvelle fonction de chasseur de livres populaires, doutant de pouvoir trouver en moi la force d'exercer cette tâche contre nature. Était-ce donc égoïste de croire que mon jugement littéraire puisse éclairer d'autres lecteurs ? Était-ce narcissique de suivre mon désir plutôt que la loi du marché ? Et si je leur montrais que de bons livres peuvent plaire plus que la nourriture prémâchée qu'on sert aux lecteurs ? Je me mis en tête d'essayer de contourner le système de mon directeur. Je voulais défendre des textes à la hauteur de ma vision de la littérature.

Les semaines passaient et je tombais sur peu de manuscrits inspirants, ce qui compliquait ma tâche, forcé que j'étais de prendre ce qui se présentait. Je lisais presque huit heures par jour à la recherche du bijou, de l'exception, me gavant malgré moi de ce qui m'apparaissait comme de la bouillie pour chat, faisant glisser mon œil sur ces centaines de pages en développant des techniques de repérage ultra efficaces.

Je mangeais des mots, des phrases et des personnages avec pour seul objectif d'en faire un compte rendu destiné à M. Dvorak. Mon cerveau se muait en un radar si performant que je fus un jour interrompu dans ma lecture rapide par une phrase d'une beauté troublante, avec le sentiment que j'avais peut-être laissé passer plusieurs d'entre elles sans les reconnaître. Je me sentais comme un capitaine de bateau devenu, à force de fixer le large, aveugle aux spectacles de l'océan et aux créatures marines vivant à ses côtés.

Honteux de m'être laissé emporter par le flot accéléré de ma lecture expéditive, je revins au début du texte pour relire avec mes véritables yeux de lecteur – ceux qui, dans la lenteur, pouvaient reconnaître la beauté –, et je passai la nuit à conquérir ce pays mystérieux. J'avais devant moi un écrivain, un authentique écrivain doté d'un regard unique, sorte de regard transversal qui lui faisait déchiffrer la vie selon des angles inattendus. Il n'y avait pas vraiment d'histoire à son récit qui prenait la forme d'une méditation poétique faite de petites phrases enfilées délicatement comme des perles.

Je lus et relus ce précieux document, heureux de ma trouvaille qui venait justifier trois mois de recherches intensives. Je préparai une fiche pour M. Dvorak et me rendis directement à son bureau le lendemain matin pour partager de vive voix la bonne nouvelle. Il reçut le texte et mes conseils avec une faible joie, visiblement occupé ailleurs, mais me promettant de le lire vite.

Les jours passèrent et chaque fois que je demandais des nouvelles de ma découverte, M. Dvorak prétextait toutes sortes d'urgences l'ayant empêché de lire le texte, mais me promettait de s'y mettre. Pendant ce temps, je continuai à lire des manuscrits à la pelle, mais levai le pied, de peur d'anesthésier mon regard et de passer à côté d'autres merveilles. On me reprocha d'avoir ralenti le rythme de mes lectures, mais je ne cédai pas. Je refusai de marcher au pas imposé par d'autres, avançant désormais au rythme lent des défricheurs de beauté.

Monsieur Dvorak me revint finalement sur ledit texte. Il prit un air solennel et me raconta l'histoire d'une poésie disparue que je mis du temps à saisir. En fait, il me parlait de l'extinction des poètes, ces vagabonds de la littérature que plus personne ne lisait. Mon auteur faisait partie de leur race, de celle qui écrit pour des gens qui ont du temps à perdre, qui se raréfie et n'achète pas ses livres.

Je restai muet. C'était comme si quelqu'un m'avait dit que les arbres allaient tous mourir parce que plus personne n'avait le temps de les regarder. L'absurde raisonnement du meurtrier qui compte ses victimes en prétendant leur extinction naturelle. Il tuait les poètes et s'appuyait sur leur disparition pour justifier ses crimes. J'imaginai le jeune Dvorak découvrant Kafka et Kundera à l'adolescence, rêvant d'écrire, puis d'éditer des livres comme *Le château* ou *La valse aux adieux*, et se faisant ensuite vampiriser par le système. Ce jeune homme était devenu le fantôme de lui-même, éteignant les lumières les unes après les autres pour creuser dans le noir sa tombe sertie d'or et de granit.

J'avais rêvé d'un échange animé et inspiré entre M. Dvorak et moi. Je m'étais imaginé que le jeune romantique, jadis étudiant en lettres à Prague, ressusciterait en lisant ce texte, mais je n'avais pas réalisé combien forte est l'usure du temps.

J'annonçai ma démission sur-le-champ à M. Dvorak, persuadé maintenant que ma place n'était pas ici.

— Je ne peux pas rester. Le temps que vous craignez de perdre à ne pas vendre de livres et à ne pas gagner d'argent, je crains de le perdre à le faire. Je préfère me retirer avant de me regarder périr à côté de moi-même.

— Je ne sais pas ce que vous visez comme avenir, jeune homme, mais sachez que nulle part ici vous ne trouverez un métier qui ne vous conduira pas vers ces contraintes.

— Justement, je ne vise aucun avenir et je ne compte pas rester ici. Je pourrais poursuivre ce travail pendant des années encore, mais rien dans cette activité ne permet à mes désirs d'exister.

Monsieur Dvorak parut contrarié par mes déclarations. Je devinai une certaine tendresse, ou peut-être une envie, dissimulées derrière son visage fermé et froid.

— Quand je dis « ici », je ne parle pas des Éditions du Ciel, mais de la société en général. Les poèmes n'ont jamais rempli les poches de ceux qui essaient d'en vivre. Vous allez devoir un jour ou l'autre abandonner la belle utopie que vous vous êtes forgée. Le besoin vous y conduira, peu importe les choix que vous ferez.

— Ne vous en faites donc pas pour moi, monsieur Dvorak. J'ai confiance de trouver un monde hors d'ici où on ne court pas seulement à gagner sa vie.

Je quittai les bureaux des Éditions du Ciel avec le sentiment de m'éloigner encore un peu plus de la communauté des hommes, constatant ma dissemblance avec le milieu pour lequel je me croyais le plus d'affinités. Je m'en allai doucement vers le parc en face de l'édifice, où je m'installai dans l'herbe pour reposer ma tête nostalgique. J'avais le mal d'un pays que je ne connaissais pas, qui n'existait peut-être que dans mes rêves, mais avec lequel je me savais de connivence.

Le bruit de l'eau de la fontaine et du vent dans les feuilles me berça jusqu'à ce que je m'assoupisse, à la recherche de cet autre cosmos.

Je dormis sûrement plus d'une heure, car le soleil tombait derrière les arbres quand je rouvris les yeux. J'avais le regard embrouillé, non pas seulement à cause de ma sieste, mais par toutes ces pages imprimées dans ma rétine depuis des mois et qui obstruaient ma vue. J'étais fatigué, mais heureux de retrouver ma liberté. J'allais encore recevoir deux semaines de salaire, ce qui me donnait un bon répit avec ce que j'avais économisé depuis quelques mois.

J'étais décidé à trouver ce monde où je pourrais marcher à mon rythme, regarder la beauté sans qu'on me presse, persuadé que ce sentiment de n'être pas la bonne personne assise à la table de mon père, ni à celle d'une des plus grandes maisons d'édition, me suivrait où que j'aille dans cette ville.

■

C'est lors d'une visite à mon amie Édith qu'une certaine idée de la vie parallèle à laquelle je pouvais peut-être aspirer se présenta à moi. Édith vivait dans la montagne, à deux heures de route de la ville, dans une vieille maison retapée au milieu de la forêt. Elle était traductrice et pouvait très bien travailler à distance de la ville. Sa vie se déroulait dans le bois, entre ses jardins et ses potagers l'été, ses marches en raquette l'hiver et ses longues soirées près du feu, allumé dehors ou à l'intérieur, selon la saison.

Mon amie insistait toujours pour que je vienne la voir, prétextant que la campagne me ferait du bien. J'étais déjà venu dans son repaire, mais j'avais admiré seulement de loin ce paysage forestier qui me paraissait inaccessible, n'osant le pénétrer à cause d'une sorte de timidité que je m'expliquais mal. Tout m'était étranger loin des constructions humaines et des lieux peuplés d'individus qu'on disait être de ma souche. Je m'étais tant efforcé de me rapprocher de cette espèce parente que j'en avais oublié les autres.

Pour la première fois, pendant qu'Édith terminait un travail urgent avant qu'on ne prépare le repas, je partis seul marcher dans son bois aux couleurs précaires de l'automne. Elle m'avait indiqué un sentier, mais rapidement mes pas me menèrent hors des pistes, dans des sous-bois épais et denses, où la chaleur et la lumière éclataient de leurs derniers feux. Je dus ralentir la cadence pour pénétrer ces bocages touffus. Plus je m'enfonçais dans la forêt, plus j'avais le sentiment de n'être plus seul, entouré de tous ces corps élevés vers le ciel avec lenteur, n'ayant besoin pour tout mouvement que celui de leur sève.

Je parvins à une clairière inondée de soleil et je m'assis sur un petit rocher face à un groupe d'arbres mûrs. J'ignorais leur âge et leur nom, mais je me sentais proche d'eux. Je reconnaissais dans leur patiente évolution l'immobilité féconde de mon être. J'aimais penser qu'on pouvait se transformer et grandir tout en reposant sur son socle. Avec eux, il me semblait possible d'arrêter les horloges et de sentir le temps filer sa toile au-dedans de soi sans avoir à le pourchasser. Se pouvait-il que les arbres soient mes semblables et que je sois né dans la mauvaise enveloppe ? Je lisais des livres de papier fait de leur chair et me sentais presque gêné en face de ces géants de silence qui n'avaient pas d'yeux pour nous juger, moi et ma bande de créatures bavardes et agitées dans le vide.

J'avais cherché depuis mon jeune âge un espace où être en paix et voilà que je trouvais ma place non pas à une table, où je l'avais tant espéré, mais au milieu d'une peuplade d'arbres, loin de là où j'étais né et avais grandi. Je compris qu'on pouvait appartenir à un autre monde que celui d'où l'on vient. Je ne savais pas encore ce que j'allais faire dans ces bois, mais j'allais vivre ici, où je pourrais être égoïstement ce que je voulais.

Je retrouvai mon chemin jusque chez mon amie sans trop de difficulté, déjà plus familier dans les dédales feuillus. Pendant le repas, j'annonçai à Édith que je songeais à venir vivre à la campagne et à trouver une activité forestière pour subvenir à mes besoins. Elle s'étouffa avec sa gorgée de vin, puis me regarda longuement dans les yeux, le sourire au coin de la bouche.

J'avais donc atterri dans un pays mien, bien qu'inconnu. Une secrète appartenance m'avait poussé ici, comme on devine la force d'un amour absent. On pouvait donc sentir le manque d'une terre étrangère et se trouver étranger à la table de son propre père.

Table

Suivez-nous :

Achevé d'imprimer en avril deux mille quatorze
sur les presses de Marquis Imprimeur,
Montmagny, Québec